늘 푸른 나무

이 미 라

늘 감사하고
행복했습니다.
이책이 작은 기쁨이
되어 드린다면
참 기쁠것 같아요.

늘 푸른 나무

LEE MI RA SPECIAL EDITION

늘 푸른 나무 2

이미라

학산문화사

늘 푸른 나무 2권

♥등장인물 소개

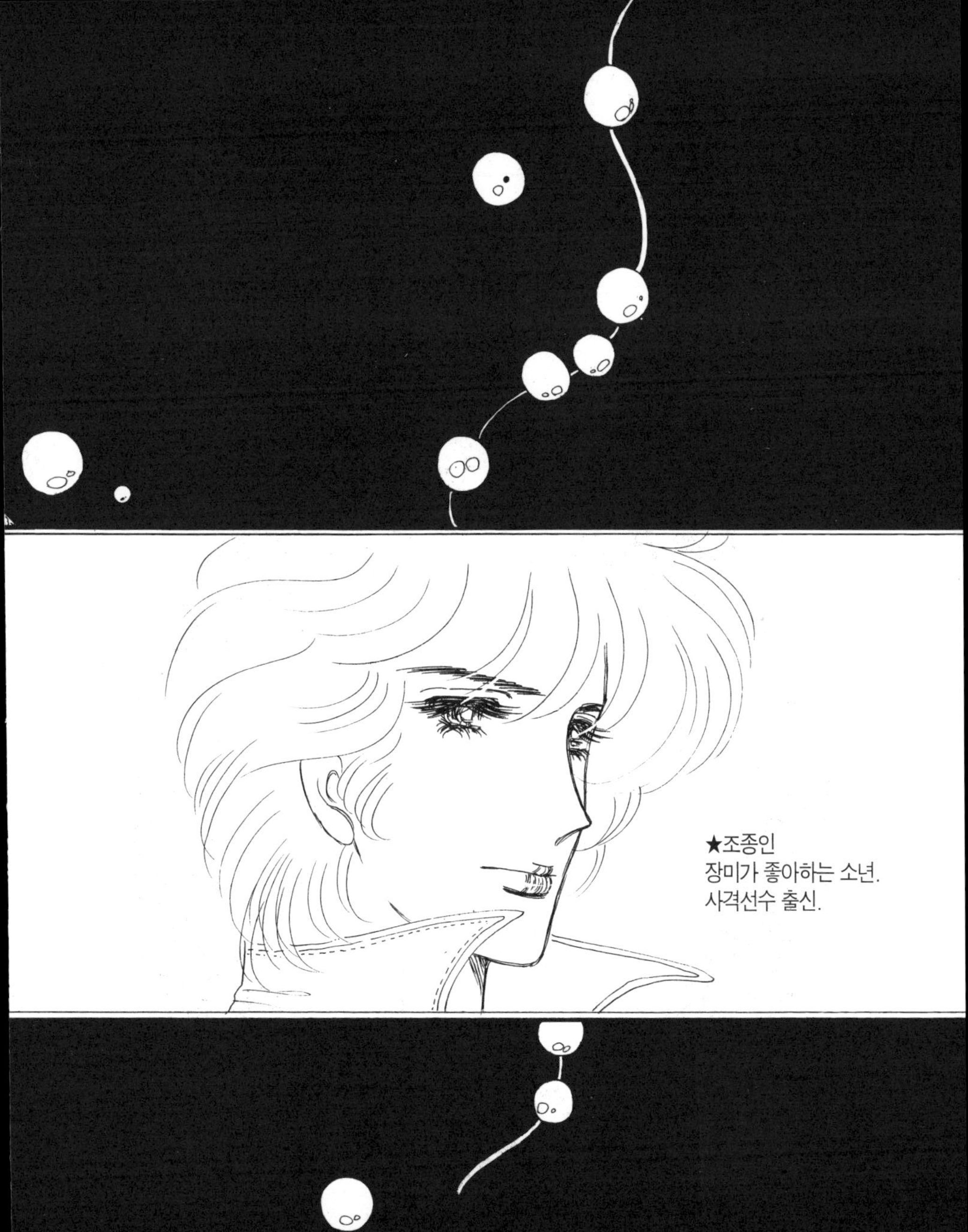
★조종인
장미가 좋아하는 소년.
사격선수 출신.

어머니—.
다정하셨던 나의 어머니.
지원, 서지원.
이름 예쁘지? 엄마가 지었단다.
내가 좋아하는 소설책의 남자 주인공이지.
오늘 학교에선 재미있었니?
선생님 말씀 잘 듣고?
응….
그래, 이렇게 비 오는 날이었지.
우산을 갖고 아버지 마중 나가는 길이었다.
엄마, 빨리 오세요.
그래.
첨벙
첨벙

부
우웅
참으로 순식간에….
끼
이
익
무슨 일인지
채 깨닫기도 전에
그렇게….
지원아—!

그 사고로
어머니는 일생을
휠체어에서
지내게 되었어.
나의 존재는
잊어버린 듯
언제나 아버지만
찾으시면서….
하지만
아버지는….
그래, 어쩌면 난
아버지를 질투하고
있었는지도 모른다.
그처럼 강하게
어머니의 마음을
잡고 계신
아버지의 힘을….
그래도
아버지가 어머니에게
잘해주길 바랐어.
늘 어머니를 사랑하고
곁에 있어주길 바랐어.

그런데 아버지는 냉담한 표정으로…
우릴 지켜보곤 떠났어. 먼, 먼 곳으로—.
그래 놓고선 지금에 와서,
여보—!
으아앙—
나를 사랑하기에 데리고 가겠다고요?
아빠—!
아빠—!
이미 어머니는 죽음의 시간 속을 떠돌고 있는데…. 어머니를, 나를, 사랑했다고 얘기하시는 건가요?

사랑이
아니야—!

…그때는
정말…
모든 것에
신경쓸 여유가
없었죠.
일에도 쫓기고….
쏴아아~
쏴아!
그럼 지원이를
데려가실 건가요?
어떻게 해야 할지
모르겠습니다.
…지금의 지원이는….

물론 어느 정도
각오는 했었지만
이 정도일 줄은
몰랐죠.
달그락
지원이가
미국에
가버린다고…?
이런 말씀을 드리면
어떻게 생각하실지
모르겠는데….
계속
편지를 보냈는데
답장은 안 오고….
그러다 견딜 수 없어
이렇게 데려가려고
찾아왔는데….
지금 지원이는
한창 감수성이 예민한
나이이고 하니…
좀 더
시간을 두는 게
어떨까요?
다행히 그 애가
절 잘 따르고 있고,
또 저도 자식이 하나 더
있는 것 같아서….

그…, 그래, 지원이는 혼자였어.

밥도 빨래도 자기가 해야 하는 불쌍한 소년이었어.
생활전선에 뛰어들어 밤낮 일해야 하는 불쌍한 소년 가장.

그런데 나는 그것도 모르고
밥 많이 먹는다고 구박했었지.

아…,
나는 얼마나
치사한 사람인가.

지원아,
나를 비웃어줘!

아니…, 저…,
비라도 그치면
가시는 것이….
그리고 지원이를
보고 가셔야지요.
이제 그만 가봐야
하겠습니다.
…….
그렇군요.
근데 지원이는
비가 오는데….
후
다
닥
아아니….
슬비에게
먹는것보다
더 중요한게
있었나?
그래,
지금은 밥이
문제가 아니야.
엄마,
제가 찾아볼게요.

아저씨, 제가
지원이를 찾아올 때까지
기다려주세요.
막상 나오긴 했지만
어디서 찾지?

지원아,
어디 있나—?
지원아—
철벅
틀렸어.
이런 식으론
백날
찾아도….

따르릉르릉….
지원이요?
여기 없는데요.
예, 안 왔어요.
도대체 어딜 갔을까?
이렇게 시간이 지났는데….

시간이 멈춘 것만 같던 어린 시절.
그 어둡고 고독했던 집.
내게 돌아와주지 않던 아버지.
날 돌아봐주지 않던 어머니.
난 언제나 혼자였어.
그래서 떠나야 한다고
생각했지.
나를 진정으로 사랑해주는
누군가를 찾아서….
빙글
빙글

이런….
벌써 개었구나.
에헤헤~
쓱
잠깐만…, 너무
많이 젖은 것 같아.
너 때문에 아파트가
온통 물바다가 되면
안 되잖아.

아하…
…….
…오늘은 호텔에서 자고 내일 아침 출국할 예정이다.
그래도… 건강한 모습을 봐서 안심이구나.
잘 있거라, 지원아.
아….

가시는 거야!
그 먼 미국에서 오셨잖아?
이렇게 가시면 또 언제 만날지 몰라.
너완 관계 없는 일이야.

먼 곳에서 찾아오신 아버지를 그렇게 보내는 법이 어딨어?
넌 틀림없이 후회한다고….
쓸데없이 참견하지 마!
바보야! 난 들었단 말이야! 네 아버진 네가 죽도록 보고 싶어 찾아온 거야!
비켜!
싫어―!
아버지가 살아계신 게 얼마나 좋으니?!
넌 왜 그렇게 냉정하니? 가족은 아버지뿐이잖아! 보고 싶은 건 보고 싶은 것 아냐?!

쾅
지….
술렁
술렁

아버지는
고려호텔에
묵고 계신단다.
내일 오전
10시 45분
비행기로 출국
하실 거래.
지원아…,
지금 내 말
듣고 있는 거지?
…질책이란
후회하는 사람에겐
필요하지 않은 거야.
그렇지 않니?

그런데
그 건방진 녀석이
나를 밀쳤어, 감히…!
웃기는 녀석
같으니라고…!
짜 안~
이렇게 아름답고
상냥스런 슬비
내가 힘이 없어서
가만 있었는 줄 알아?!
워낙 내가 착한 데다
네가 불쌍해서 가만히
있었던 거라고!
그러고 보니
난 참 생각이
깊은 애야.

엄마.
커피 드시고 하세요.
탈탈 탈
그래. 고맙구나, 슬비야.
지원이가 나쁜 거지요, 엄마?
왜 아버지에게 그렇게 대하는 걸까요? 그래서는 안 되는 거잖아요. 아버지인데….
저….
…그건….

어느 누가 나빠서
그런 것은
아니란다.
서로를 이해하지
못했기 때문이지.
깊이 사랑하면서도
마음은 안쪽으로
꼭꼭 여민 채….
그렇게
조금씩 조금씩
더 상처를 받게 되고,
상처를 주게 되고….

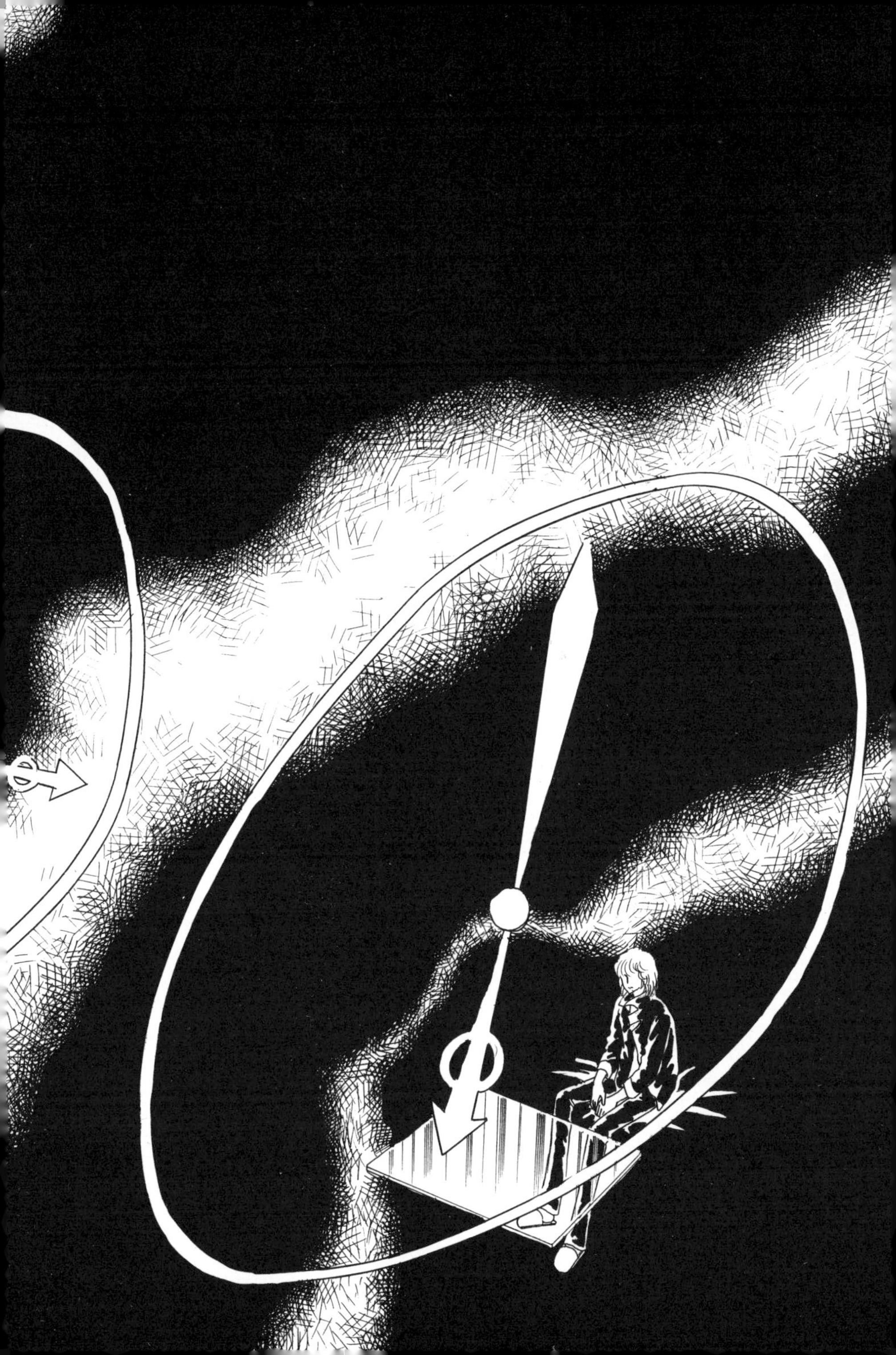

아들이 배웅해 드리는 건…

너무나 당연한 일 아닌가요.

네가 언제든지 사용할 수 있도록 꾸며놓은 방이 있단다.
시간이 나는 대로 다시 들르마. 건강에 늘 신경 쓰도록 하렴.
나중에 갈게요, 아버지. 요트를 사면 미국에 꼭 들르겠어요.

사실은
보고 싶었어요.
못 견디게
아버지가…
그리웠어요.

아이스크림도
사 와서
먹어야지.
슬비야—,
메추리알은
꼭 싱싱한 걸로
골라야 한다.
예—,
알았어요!
…아니, 아침부터
어딜 갔다가….
모른 척하고
지나가야지.
흥!
분위기 잡고
올라오면 누가
겁낼 줄 알고?
어림없다!
…….
슬비….

와아앗—!
엄마—!
왜 그러니?
빨리 이 녀석 좀
떼어내줘요,
엄마!
악
완전
토마토
엉
난몰라
엉
빨리요!

오래
기다렸어요?
김밥 싼다고
수선을 피우다가….

기말고사가 눈앞인데
공부 안 하고 이렇게
놀러다녀도 돼?
가끔 이런 휴식도
필요하다고요.
2보 전진을 위한
1보 후퇴랄까….

고민 따윈 없는
녀석인 줄
알았는데….

헤~.
자는 모습이
꼭 아기 같아.
귀여워라.
흠…
확실히 이상하군
얼굴이
붉으락 푸르락 하는게
혹시 그 사이 전염된게
아닐까…
칫!
남의 방에서
잘도 자는군
체면도 없어…
……
…나도….
갈 거야.
갈 거야!

슬비야,
많이 아프니?
쉿—! 조용히 해,
몽룡아.
아
내가 약
갖다 줄까?
알았어, 알았어.
있다가 놀아
준다니까.
MiRA
핫!
스, 슬비!
벌
떡☆

일어났니?
아….
다행이구나.
열은 많이 내렸어.
자,
뭐라도 먹고
힘을 내야지.
아~ 해.
아~.

어머?
이 돌 좀 봐요.
정말 하얗죠?
어디?
정말….
장미의 이 같다.
뾰족한
송곳니—.
삐 긋—

하 하 하
뭐라고요?
아….
저 사람의 웃는 모습은
정말이지 해맑아.
…보기 좋구나.

풍덩
종인 씨—,
이러기예요?
뭐야?
먼저 시작한 게
누군데 그래?
좋아요!
그렇다면—!
그래?
영차—!

우리 이제
그만 해요.
승산이
없을것
같아…
물 여기 있어요.
남의 것 빼앗아
먹으니까 그렇죠.
컥컥…

안녕하세요?
저 슬비인데요,
장미 좀….
아침 일찍
도시락 싸들고
나갔다고요?
예, 알겠습니다.
안녕히….
흐음~.
일요일인데
도대체 어딜
간거지?
도서관?
스터디 그룹은
내일부터인데….
아냐!
그러고도 남아.
나완 다르지.
휴~, 다행이다.
끌려 가지 않아서….
황금과 같은 이 하루간의 자유

순간적으로 불쌍하다고
생각해버렸어.

직업전선에서
마음껏 쉬지도
못하다니.

아냐!
어쩜 그 애들은
꿈을 향해 달리고
있는지도 몰라.
그래서….
온갖 괴로움들을
마다 않고
전진하는 거야.
그런데
나는!
날마다
먹고 자고
놀기만 하고—.
자
아
비
판
어휴~
난 왜
이럴까?!!!

슬비야,
청소 좀 해라!
툭
그, 그래.
우선 작은
것부터.
—근데
어떤 것을
선택해야
될지
정말
모르겠단
말이야.
나도 뭔가를
하고 싶다고!
근사한 꿈을 향해서
달리고 싶단 말이야!
위험해—.
조심조심
내려와.

아아~, 더워.
어저께처럼 비나
좍좍— 내려줬으면….
조금만 참아.
내려가서 시원한 것
사줄 테니.
후후
사실은 괜찮아.
이 더위도…
피곤함도….
—아니,
이대로 계속 길이
이어졌으면 좋겠어.
빨리 와,
장미.
종인이와
함께라면!
예—.

분명…
이 근처에
선배님 아파트가
있을 텐데….
음…
좀 지저분한
동네군…
야—!
넌 따라오지
말랬잖아!
왜 그래요, 변영희 씨?
여긴 분명 민주주의
국가입니다.
내 발 갖고 내가 가는데
웬 상관이오?

말이나 못하면
밉지나 않지.
좁쌀만 한 게
말투는 완전
할머니니….
자고로 된 사람은
남의 험담을 하지
않는다고 했소.
아유! 아유

와삭 와삭

굳굳
모여라 잠동산
다음 이시간에….

이어서
은하고속 888

버스가 미리내 넘어서
밝은 별의 바다로
우주 휴게소에
별빛이 부서지네
신나게 달려라 은하고속 888
은하고속 888
〈은하고속 888〉이라….
음~, 이번에는
정말 재미있겠는걸.
그래.

휘이
아빠, 무서워요.
천년마녀가 쫓아오는 것 같아요.
휘이이이
아냐, 순아.
천년마녀 같은 건 없어. 아버지만 믿어.
호호
안 들리세요?
천년마녀의 웃음소리가…?
애야, 그건 바람 소리란다.

오
호
호
으…
정말
무서워
나…
나도…
아빠!
저길 봐요!
저가—!
헉—!
처, 천년마녀의
사망화!
끝장이다!
순아,
비켜—!
으아악—!
아빠—!
아빠…?

붉은 장미는
피의 진혼곡.
아빠아―!
붉은 장미는…
휘이이이잉
죽음의 전설!
아빠아아아아―!

아아….
아빠! 왜 나만 남겨놓고 가시는 건가요!
글썽
글썽
휘
이
이
잉
아빠아―!
나도 아빠가 안 계신데…. 순이가 너무 불쌍해….
야
흐
흐
흐
흐
으
으
울지마, 슬비. 나중에 아이스크림 사줄게. 자, 그쳐, 뚝! 우리 슬비 착하지?
천년마녀…, 아빠를 재로 만들다니…. 용서 못해!
반드시 복수하고 말 거야!
그러기 위해선 이를 악물고 살아남아야 해.
…그런데 아빠…, 자꾸 졸려요….
…아…빠….
휘
유
우
우
웅

이 아파트
같은데….
근데 형씨,
찾아가는 이유가
뭐요?
흥!
관심 갖지 마.
엉?
여긴 어디지?
거기 누구시죠?
…깨어났군.
꼬마.

아니··
옆집 총각
아냐··
그래, 아빠 원수를 갚겠단 말이지?
호~, 대단한 꼬마로군.
자꾸 꼬마 꼬마 하지 말아요! 나도 숙녀라고요.
하하하….
미안! 미안!
머…
멋있어….
비

그래…, 이제
긴 여행을 떠나자.
멀고 먼
침묵의 별
안드로메다를
향해서….
시간의 끝에서 끝으로
떠도는 어느 망령의
안식을 위하여….

아아…,
너, 너무
멋있다.
정말
지원이랑
동일 인물일까?
믿을 수가 없어.
TV는 바보상자라는데….
전부 다 사기가 아닐까?
흔
드적
왜 그래?
머리 아파,
주인?
딴 데 틀까?
딩
동
딩
동
딩
동
딩
동
딩
동
딩
동
← 변영희 손
순이 손

흐느적
아이고~. 막 잠들려던 순간인데….
멍~
아, 아니…, 이게 누구야?
〈은하고속 888〉의 순이 양 아니야? 귀여워.
쓱
이왕 온 김에 사인 한 장….
함부로 남의 머리에 손 얹는 게 아니오!
아얏

아휴-
아파…
근데… 우리 집엔 무슨 일로?
혹 서지원 씨라고 여기 없소?
지원이는 옆집인데….
흥~. 그래요?
깜짝 놀랐잖아.
하긴, 지원 씨 같은 사람이 저런 멍청이와 관계 있을 리가 없지.
딩동…
딩동…
변영희 양, 자고로 남의 험담을 함부로 하지 말아야 하는 법이라오.

……?
멍청이?
아, 아니—,
이 나의 어디가
멍청이 같다는
거야?!
난 멍청이가 아냐!
그렇지?
뭐라고 말 좀 해봐!
몽룡아!
으…
캑 캑
스… 슬비.
그 멱살잡는
버릇 좀
고치는게…
그래, 난
멍청이가 아냐.
털썩
내가
걸레냐
아무데나
던져도
되는거야
…그런데….
지원이에게
무슨 볼일일까?
아마 돈 떼먹고 달아나
빚 받으러 온 애들이
틀림없을 거야.
그래, 그걸
전해주려고….
호호….

어쨌든 고맙다.
답례로 저녁 살게.
지원 씨랑 같은 CM을 하게 되어서 기뻐요.

글쎄, 아주 질이 나쁜 녀석이라고요.
여자애가 남자 혼자 사는데 찾아오지 않나, 절개도 없이 따라가는 꼴이라니….
그래….

혹, 우리 슬비가 질투하는 것 아냐?
질투….
질투 라고요?

지원이에게
여자 친구가
있으니까 말이야.
에이~, 농담이라도
그런 말씀은 마세요.
전 어디까지나
윤리의식에서 하는
말이라고요.
호호….
그래?
아무려면 내가
그런 녀석에게….
하지만 아까…
멋있었어….
으으윽—!
안 돼! 안 돼!
브라운관에 비친
모습이 진면목은
아니야.
속아선
안 돼!
?

째르르르릉…
슬비야,
점심 먹으러 가자.
역시—.
시험 기간이 다르긴 다르구나. 슬비가 저렇게 열심히 공부를….
진 지。
어디 한 번… 무슨 과목인지….
아—, 다 봤다. 너무너무 감동적인 거 있지.
아, 아니—, 여지껏 만화 본 거였어?
삐
긋

역시 만화는
사천만의
필독서야.
공부와 일에
짓눌린 머리를
시원하게 씻어내는
그 감동과 재미.
그렇게
재미있었니?
보여달라고 하자니
그놈의 품위란 것
때문에….
얘기해줄게.
어떤 줄거리였냐
하면—.
아냐,
괜찮아.
그보다 빨리 가야
자리 잡을 수 있어.
시끄러워!
내가
얘기하겠다면
하는 거야.

젠장!
난 정말
억울해.
내가
그런 곳에
태어났어야
하는 거야.
어째서?
한 자루 검을
들고 거친
강호를
헤쳐나가는
의지의 여인.
세상에서
가장 아름답고
가장 지혜로운
여인.
그건 바로
나를 위한
찬사잖아.
게다가 거긴
시험도 없거든.
장미야, 나—
이번에야말로
꿈을 만들었어.
뭔데?
무예를
익혀서
정의를 수호하는
아름다운 여협객이
되는 거야.
안심해, 장미.
너도 내가
지켜줄게.

…고맙기 그지없는 말이다만…
여기는 한국이고 20세기라는 데 문제가 있지 뭐니.
라 라 라
야단법석
매점
왁자지껄
시끌시끌
에이~. 또 무슨 행패를 부리려고 왔을까?
퇴학도 안 시키나? 저 녀석들 안 보고 살면 소원이 하나 주는 건데.
애, 저기, X 삼총사야.
어휴~, 진짜 싫다.
빨리 먹고 나가자, 얘.
그러게―!

야,
거기 좀 비켜!
끼끽..
이봐.
무법자는 서부로 가는 게 어때?
뭐니 뭐니 해도 간편한 식사론 햄버거가 최고야
시건방지게 뭐라는 거야?
계집 주제에 학생회장이라니, 나 참!
이 학교도 막가는군.
퍽

뭐,
뭐야?!!
에퉤퉤
장미를
모독하는 자는
그 누구도 용서하지
않겠다!
짜 안

흥~, 그래.
네가 바로
그 유명한
충실한 개구나.
뭐, 뭐라고?!
이 나쁜 녀석,
말 다했어?!
으
캑
캑
갑자기
현실로 돌아온 슬비
이 계집애가—!
우
당
탕
퉁
탕
여자라고
함부로 깔보지
말란 말이야!
그만둬!
교내에서의
폭력은 그 누구라도
좌시하지 않겠다.

좋아, 봐줬다.
불량배의 빵
식당에서의 예의
1. 남의것 빼앗아 먹지 않는다.
2. 새치기 하지 않는다.
3. 방귀뀌지 않는다. (밖에나가 뀌는게 사람의 도리)
4. 트림……
가자, 장미야.
내 햄버거보단 못하지만 그런대로 맛있군…
동그랑땡
만화가집 고양이 우는소리 히트옹 히트옹
역시 이슬비야! 대단해.
불량배 몇쯤이야 문제없다는 저 태도.
여자든 남자든 용감해야 하는 거야.

그날의 일로 슬비는
불량 학생 3명을 무찌른
아름고교의 명물로
소문나게 되었다.
그러니까 말이야,
이건 이렇고…
저건 저렇고…
요건 요렇고….
Z
Z

그리고 또 한차례의
해일 같던 기말고사도
무사히 끝났다.
으으…
시험…

아—, 시간이여,
빨리 가라.
어서어서
가거라.
아—,
여름방학이여,
빨리 오라.
어서어서 오너라.
슬비야, 일어나.
선생님 가셨어.
6교시가
끝났단 말이야.
Z Z
뭐?
여름방학이
시작되었다고?
흐릿…
아, 아니—.
수업이
끝났다고.
참, 그렇지.
앞으로 3일 더
남았지.
여름방학
방학
방학
여름
방학…
흐느
…네가
걱정 안 해도
방학은 오게
되어 있어.

애들아,
선생님이 오늘
통지표 나누어
주신대!
휘청
으으윽….
그래. 통지표가
있었어!
자아—,
출석번호대로
통지표를 받아 가세요.
3… 4…
이기리.
…27번…
황미옥.
…15번
서애자.
34번…
35번….
이슬비
2학년7반
이 짊어지고
가야 할
큰 짐
난 왜 늘 한 가지만
생각하는 걸까?

내일까지
부모님 도장
받아 오도록!
으… 무서워

이슬비!
예, 옛!
저번처럼
잊어버렸다든가 하는
시시한 거짓말 하면 용서 안 해!
반드시 내일까지
도장 찍어 와! 알았지?
예…
예….

슬비야,
이번엔 몇 등이니?
잘 나왔어?
그… 글쎄.
아직 보지
않았어.
그… 그럼
장미, 안녕.
후다닥
늘푸른나무

다다다
허둥 지둥
우왕 좌왕
헉
헉
혹시 몰라.
뜻밖에 내가
잘했을수도….
꿀꺽

62명 중 52등.
여… 역시….
…그림자?
뭐 하는 거지?
콰!
늘푸른
콰앙
후다닥
너… 너,
봤지?
무얼?
시치미 떼지 마!
바른대로 말하는 게
신상에도 좋아!
늘푸른나무

그러고 보니
이가 1개
썩었구나.
그, 그래?
난 몰랐었는데….
단걸 너무 많이
먹은 것 아냐?
늘푸른나무
그러고 보니
요 며칠간 과자를 좀
많이 먹은 것 같아.
치아가 튼튼해야
몸이 건강한 거야.
응, 앞으로
신경을 써야
할 것 같아.
저벅
지원아!
응?
넌 참 좋겠다.
뭐가?

집에 아무도 없으니까 성적 때문에 혼날 염려가 없잖아?
그렇지도 않아.
나도 요새 성적 때문에 걱정이야.
응.
생각했던 것보다 너무 못나왔어.
늘푸른
늘 푸른 나무
그래?
몇 등 했는데?
기쁨을 감추지 못한다
…겨우.
전교 7등이지 뭐야?!
난 참을 수 없어!
우리 학교에 나보다
잘하는 녀석이
6명이나 있다니!
늘푸른 나무

좋아. 7등까진 좋다 이거야!
하지만 전국에 고등학교가
몇 개니? 천 개도 넘을 거야.
6×1,000=6,000….
적어도 나보다 잘하는 애가
6,000명이나 있다는
결론이 나오잖아.
그… 그럼난
반 등수만으로도 52
전체 석차는 620등
620×1000
=620.000
이라는
천문학적인
숫자가 …
으으….
시, 싫다.
성적이란 걸
등수로 매겨야
한다니….
무슨 말을 하는 거니?
넌 숫자의 기쁨을
모르는구나.
자기보다 못한 아이가
있다는 그 승리감.
등수로 자신의 위치를
알 수 있는 수학의 미학.
쾅
그래서 난
수학을 가장
좋아하지.
하
하
하

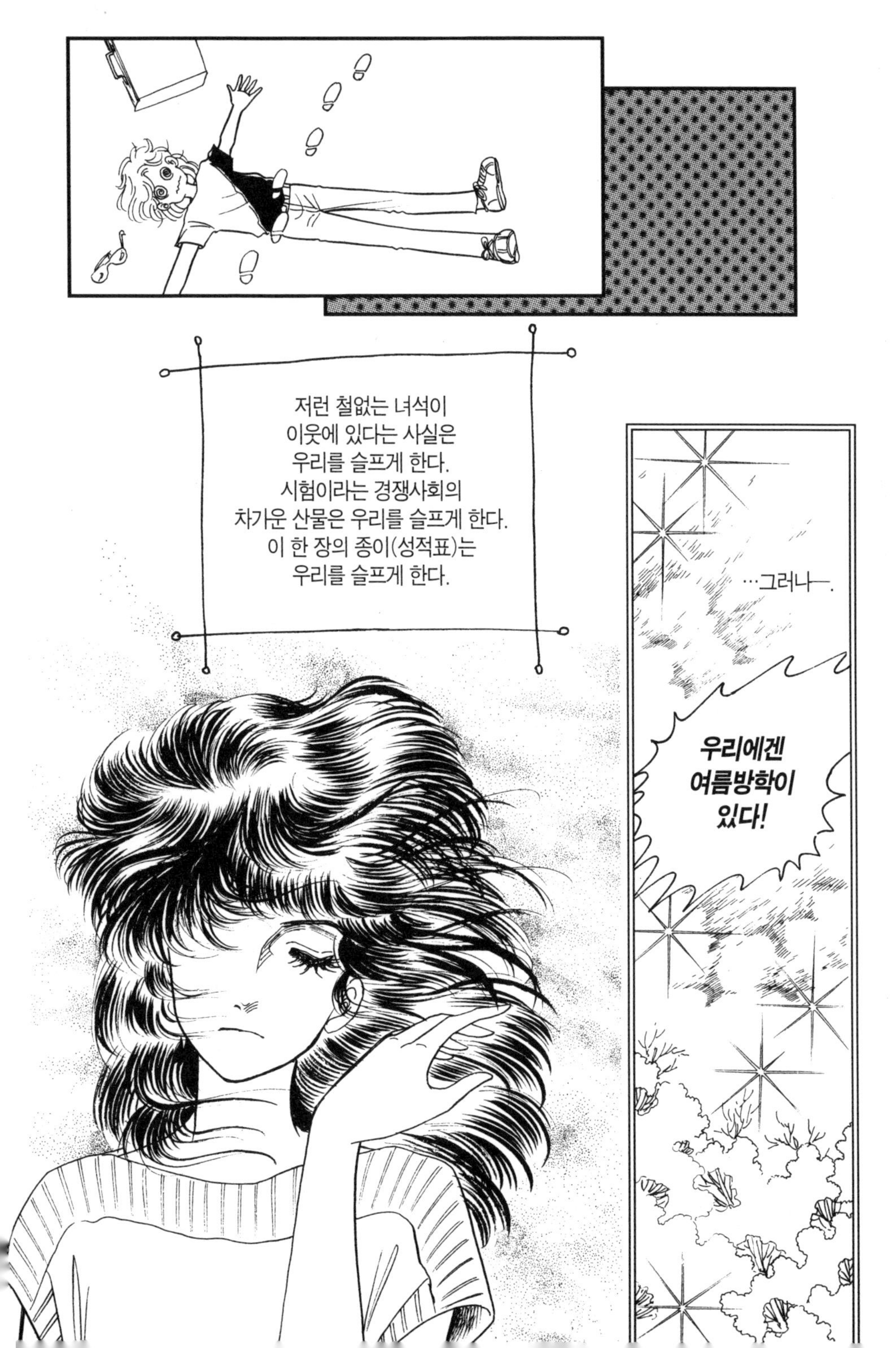

저런 철없는 녀석이
이웃에 있다는 사실은
우리를 슬프게 한다.
시험이라는 경쟁사회의
차가운 산물은 우리를 슬프게 한다.
이 한 장의 종이(성적표)는
우리를 슬프게 한다.
…그러나—.
우리에겐
여름방학이
있다!

드디어 슬비가 꿈에서도 바라 마지않던
여름방학이 신선한 미풍과 함께 다가왔다.
—그런데….
그러니까….
흠~.
50등 이하는 방학동안
10일간 의무적으로
보충 수업을 받아야
하는데….
슬비가
그 대상자란
말이지.

음~.
정말 안됐군.
그러게 말이야.
공부하는 게 죽기보다 싫다는 슬비인데….
가엾은 슬비. 그렇게도 기다리던 방학인데….
뭔가 도울 수 있는 방법이 없을까?
열흘간 번갈아가며 보충 수업을 대신해 준다거나.
아니면 날마다 아이스크림을 하나씩 사주며 위로한다거나.
아…, 좋은 수가 있어요.
독서 클럽! 독서 클럽을 만드는 겁니다.
—좋은 생각이다.
나도 학교 수업과 일 때문에 책을 도통 못 읽었는데….

슬비가 수업 받는 동안 도서관에서 책을 읽으며 기다리는 겁니다. 슬비를 위로할 수도 있고 우리 정서를 넓힐 수도 있고 또….
어머 정말
그래 이걸 계기로 난 광미양을 매일마다 볼 수 있는거다 후후….
슬비야, 들었니? 독서 클럽 결성하는 거 말이야.
우리도 너랑 같이 학교에 나온다는 애기야.
…잠들었어.
곤
곤

이상하다.

나올 때가 지났을 텐데….

금주의 목표
아름다운 학생회장님.
오늘은 또 무슨 일이신가요?
저…, 종인 씨는 벌써 갔나요?
…며칠 전부터 학교 안 나오는데.
전학 간 걸로 알고 있어요.
…몰랐어요?

그럴 수가…
그런 무심한 녀석은 잊어버리고 차라리 나랑 사귀는 게 어때요?
탁
으왓

흐흥~.
학생회장님,
제법 사나운걸?
이게 뭐야.
갑자기 전학이라니….
나에겐 한 마디
말도 없이—!!

따르릉, 따르르릉!
그 언제가 만나자던 우리들의 약속
약속—. 약속—.
너와 나의 약속
모든 슬픔 잊자 하던 우리들의 약속—.
MIRA'S LOVE
종인아, 네 전화야.
저예요, 장미.
…….
무슨 일이지?

전학한 게
사실인가요?
너무해요!
나에게
한 마디 말도 없이
어떻게….
반드시
네게 먼저 얘기할
이유는 없지.

제가… 싫어졌나요?
글쎄…. 싫지도 좋지도 않고 그저 그래.
하고 싶은 말이 뭐야?
…아니…. 아무것도….

바보같이…
혼자 들떠서….

…그날은
그렇게도
즐거웠는데.
그도
그랬으리라
생각했는데….
종인인
그 모든 게 그저
장난이었던 걸까?
아아…,
도무지
알 수가 없어.

장미야
오늘 라미 분식점에서 송별회 있는 것 알지?
으응….
우리 빨리 가서 앞자리에 앉자.
그래~.
장미 넌 노래를 잘해서 참 좋겠다. 난 정말 음친가 봐.
호호
한 곡 부른다 하면 모두 귀를 막으니….

연극?
아, 물론
거절하셔도
됩니다.
…….
갈게요.
혜자의
슬픈사랑

오늘은
일찍 끝났네.
이제 5일만 더
보충수업 받으면
되지?
응―.
라
라
랑
이젠
정말 열심히
공부할 거야.
남들 다 놀 때
공부하려니
억울한 거 있지.
오늘 나랑
놀러 갈까?
뭐?
아이스크림도
사줄게.
그래.
그럼 장미에게
물어보고….
장미는
오늘 혁진이랑
볼일이 있어.

친구 사생활에 너무 간섭하는 것도 안 좋아. 장미도 혼자만의 시간이 필요할 수 있으니까.
그래? 무슨 일이지?
때론 멀리서 친구의 일을 지켜보는 것도 좋지 않을까?
맞는 말이야.
음….
잘 가, 장미야—.
내일 또 봐!
웬일이지? 내가 혁권이랑 어디가는지도 안묻고…
지원아 넌 정말 오랑우탄 같이 귀여운 내 친구야.

저…, 슬비.
실은 오늘 촬영이 있거든. 그러니까 잠시 방송국에 들렀다 가면 안 될까?
촬영?
그럼 또 구경할 수 있는 거야?
이번엔 안 돼.
지난 번엔 리허설이라 견학이 가능했던 거야.
조금만 기다리면 돼. 이번엔 금방 끝나는 거거든.
그래, 좋아.
대신 아이스크림을 두 배로!
호호…

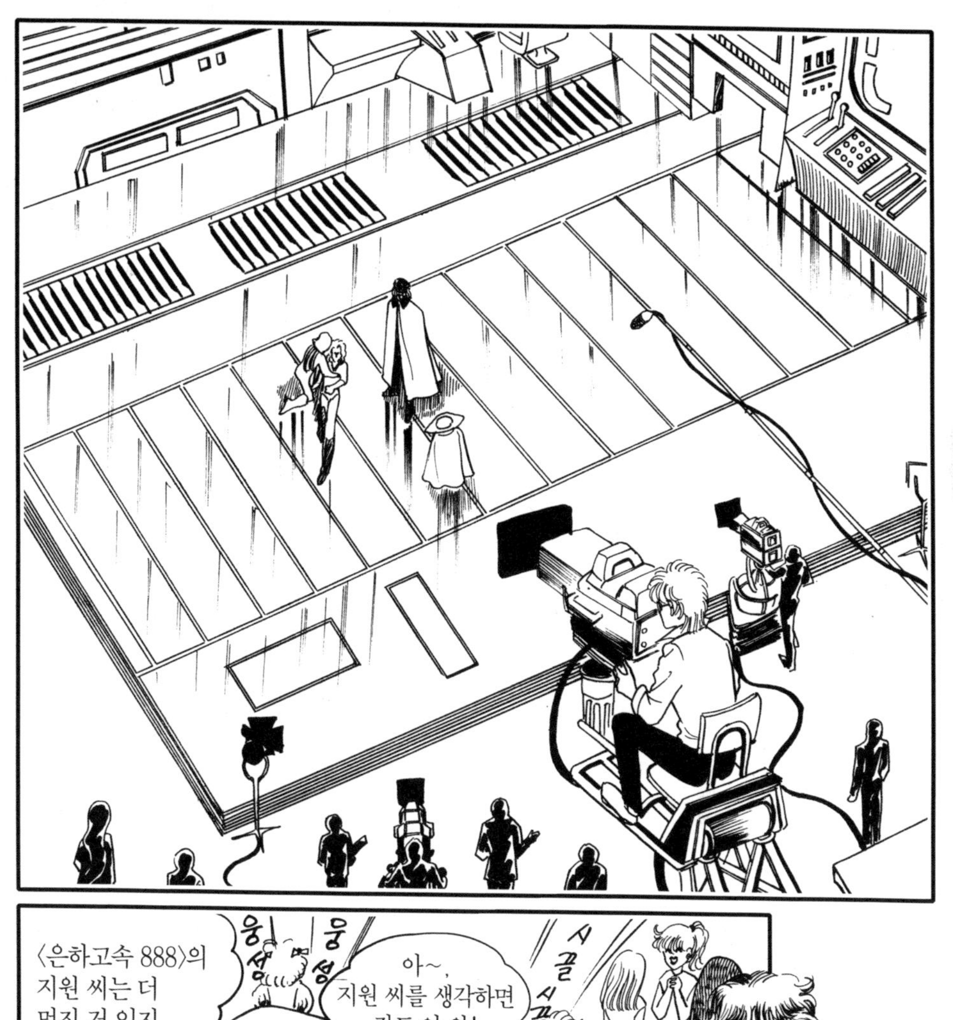

〈은하고속 888〉의
지원 씨는 더
멋진 거 있지.
웅성 웅성
아~,
지원 씨를 생각하면
잠도 안 와!
뭐보다도
주연이니 빛날 수
밖에….
야단법석
이번에는
기필코 뽀뽀해
줄거야.
시끌시끌
짜아식….
뭣 때문에
인기는 저렇게
좋아서….
왜 이렇게
안 나오지?
30분이나
지났는데….
분명 이쪽으로
나오는 것 맞지?

와아—! 얘들아,
저기 간다!
뭐?
맞아!
지원 씨 맞아!
전에도 저렇게
변장했었잖아.
그래.
응?
빨리 가서
사인이라도 받자.
우루루루...
그래~.
그래~.
뽀뽀해
줘야 하는데...

이…,
이럴 수가….
아앙
벌써 가버렸어
혼자서 택시 타고…
아잉~
지원씨는
미운것 같애잉
....
뽀뽀해 주고
싶었는데...

이 녀석이
끝내…
일 저지르는군.
난 뛰는 건
딱 질색인데.
헉
헉

천하에
둘도 없는
나쁜 녀석.
나더러
기다리라고
하고선
저 혼자
택시를
타고 가?
에이—,
할 수 없다.
이번엔 라종래 씨
만나러 가자.
그래
다음엔
꼭 뽀뽀해
줄거야.
아이… 오늘은 시시해
지원씨도 못 보고...

슬비야,
나랑 놀러갈까?
아이스크림도
사줄게.
아이스크림도—.
—사줄게!
이 악마 같은 녀석!
계획적이었어!
같이 놀러가자고
할 때부터 수상하더라.
이 카멜레온
할아비 같은 녀석!
그동안 좀
착해졌다 했더니
그래, 이렇게
날 골탕먹여?
이 나를…!
식
식
에라이! 옆에 있다면
그냥 한 대 콰악—!
처음 포스터 봤을 때부터
나쁜 놈이란 걸 알았지만
워낙 불쌍해서 잘 대해줬더니.
인간이 아니면 상대를 말라던
선현의 말씀이 옳았어.

엄마에게 얘기해서
공짜밥도 못 먹게
만들 거야.
핫!
허전~
내, 내 가방—!
내 지갑—!
아까 급하게
따라가느라….
주룩…
주룩…
으…,
이럴 수가….
으흐흐흑

분명 기다리라고 했는데 얜 도대체 어디 간 거야?
온 방송국을 다 뒤져도 안 보여.
혹시….
흠~. 30분이나 지켜봤지만 슬비 그림자도 안 보이는군.
어머, 아직도 있어. 여자 화장실 앞인데….
별꼴이야. 변태인가? 징그러워라.
에이—, 이게 무슨 꼴이람.
?

이거 슬비
가방이잖아?
툭
툭
근데 웬 발자국이
이렇게 많아.
아무리 보충수업이
싫어도 그렇지
책가방을 이렇게
학대하다니….
민완 형사
서록 홈즈
벅벅
가방이
여기 있는 걸로
봐선,
분명 이 근처
어딘가 있을 것
같은데….
정말 속썩이는군.
만나면
꿀밤을 한 대
때려줘야지.
울어도
소용없어!
응?

이것도
슬비거네.
음….
정말 귀여운
지갑이군.
슬비
두리번
두리번
이 근처야,
분명히.
어떻게든
찾아야 해.
불의의 사고로 가방을
잃어버렸다는 걸
아무도 믿지 않을 거야.
거짓말 마!
넌 평소에도 늘
책가방이란 게
없어졌으면 했잖아.
솔직히 고백해.
뻥튀기랑 바꿔
먹었다고.
공상
그래, 버릴 게 없어
책가방을 버려?
차라리
학교를 나가!
죽어!
망상
여보!
왜 먼저 가셨나요.
저런 앨 믿고 어떻게
살라고~.
엉
엉

좀 더 농도가
진해지면….
친구도
친구다워야 사귀지.
너랑 친구할 바에야
차라리 벌레랑 사귀겠다.
여보,
저도 곧
따라갈게요.
이건 그냥 넘겨선 안 돼.
교도소에 넣어서
선도를 시켜야 해.
여보세요.
경찰서죠?
절망
요주의 인물
엉…
엉엉…
암담
안 돼!
그럴 수는 없어!
나는 책가방을
찾아야 돼!!
가방
가방

혹시나….
에 잇
탈, 탈…
와르르
못 찾으면
난 집에도
못 가.
가 방
가방
가방
가방
가방

흔 들 쩔
가방
으으… 가방
예?
안 왔다고요? 아, 예.
별일은 아니고요.
그냥 약속 장소가 좀 어긋나서요. 예, 걱정마세요.
혹시…
이런 애 안 지나 갔어요?
경비실
글쎄…. 여자애들이 워낙 많아서 일일이 기억할 수가….
이상한걸. 책가방과 지갑이 버려져 있고 집에도 안 갔다면….
납…치…?
그, 그래! 그거구나!
슬비가 납치당했다면 내게 책임이 있어.
내가 구해야 해!

그래,
내 팬이란
말이지?
하
하
하
호호
잠깐, 라종래 씨.
이렇게 생긴 애
못보셨어요?
글쎄….
저쪽 계단 입구에서
펑펑 우는 애는
봤지만.
어머… 지원씨
슬비!
슬비다—!
으흐흐으응
난 이제 집에도 못가고
여기서 굶어 죽을거야
엉
엉
훌쩍
훌쩍
흑
흐윽
흑
엉

흐으윽..
아...
멍~

탁
툭
아
내 가방
내 지갑
어딜 그렇게 빨빨거리며 싸돌아다니는 거야ㅡ!
귀중한 걸 아무 데나 막 버리고 말이야!
기다리라고 했지?! 내 말 듣고 얌전히 기다렸으면 이런 일도 없었을 것 아냐!
이걸 그냥 한대 팍…

아무려면
내가 널 두고
혼자 갔겠냐?
가버린 것
아니었어?

다른 사람이야.
변장하고 그런 일
맡아주는 사람이
있어.
하지만
부릉
부릉
했잖아.

으흑. 어쨌든 다행이야.
이것 때문에 얼마나
고뇌했는지 넌 모를 거야.
이제부터
매일마다
목욕을 시켜
때 빼고
광도 내 줘야지
야…
벌써
2시간이나
지났군.
이 바쁜
비상시국에
이런 막대한
시간 낭비를.

술과 음악.. 커피가 있는 공간
아름 나라
아름나라
수
북.....
허겁
지겁

너, 아직 입도 안 댔네?
먹을래?
혜자 칸 아이스크림
얘는~.
내가 아이스크림 귀신인가, 뭐~?
휙
더 사줄까?
진짜?
네가 그렇게 좋아하는 걸 보니 돈을 아끼고 싶지 않아.
뭐?
헤헤…. 지원아, 너도 먹어.
푹

아름나라 스포츠 센터
롤러스케이트 . 스케이트. 탁구 당구 볼링
들어가자.
로… 롤러 스케이트라고?

난생 처음 름
그래서 전혀 탈줄모름
쭈뼛
뭐 해?
내가 신겨줄까?
아, 아냐—!
먼저 타고 있어. 난 지금 머리가 아파서….
좀 쉬다 탈게.
그래—. 그럼 좀 있다 와.
으응

와~.
잘 탄다.
와아
왠지 낯익은
얼굴인걸….

열
등
저…
정말
잘 타는구나
아이고…
서 있는 것 만으로
힘이 드는구나
얄미운 녀석,
여기에 오자고 하고선
저 혼자 재미있게 지내?

슬비,
이제 괜찮니?
그래.
혼자 탈 수 있으니
걱정 마.

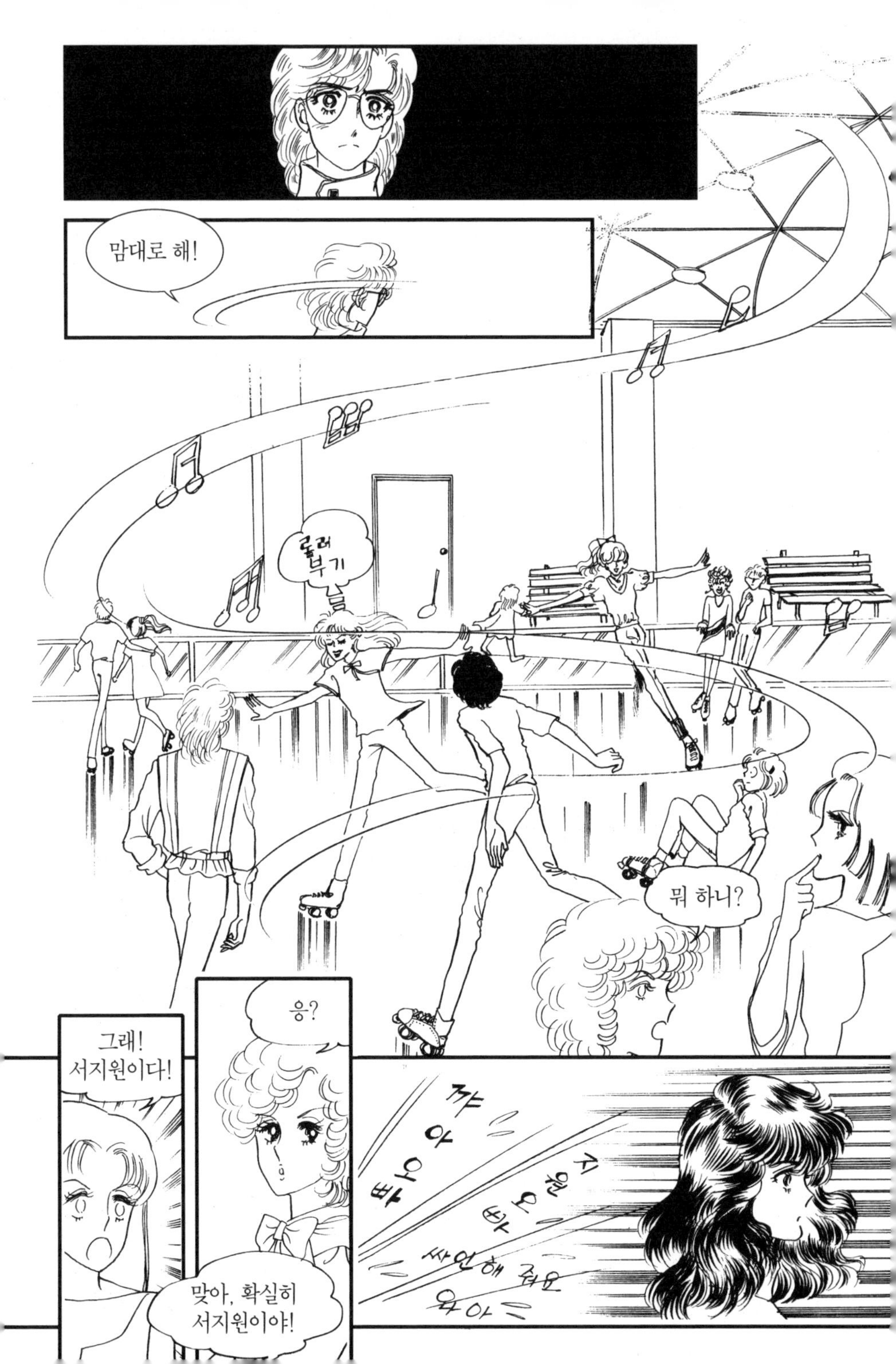
맘대로 해!
흘러
부기
뭐 하니?
응?
그래!
서지원이다!
맞아, 확실히
서지원이야!
꺄아 오빠
지원오빠
싸인해 줘요
와아

까아~!
지원 오빠!
어….
사인해줘요!
사인—!
지원 씨—!
저,
저 바람둥이 녀석!
어디서든 제버릇
개 못 주는군.

차라리
안 보고 말지.
휙
좋아,
보란 듯이
타보이겠….
어~!
콰
당

아
흐이흐이흐이
흑
흑
좋아, 간다, 가!
치사하고 더러워서
안 탄다.
누가 이런 데
오고 싶어 했나, 뭐….
도와드릴까요?
자, 간단해.
무릎을 살짝 굽히고
중심을 앞으로….
그래,
잘하네.
엄마…
아…

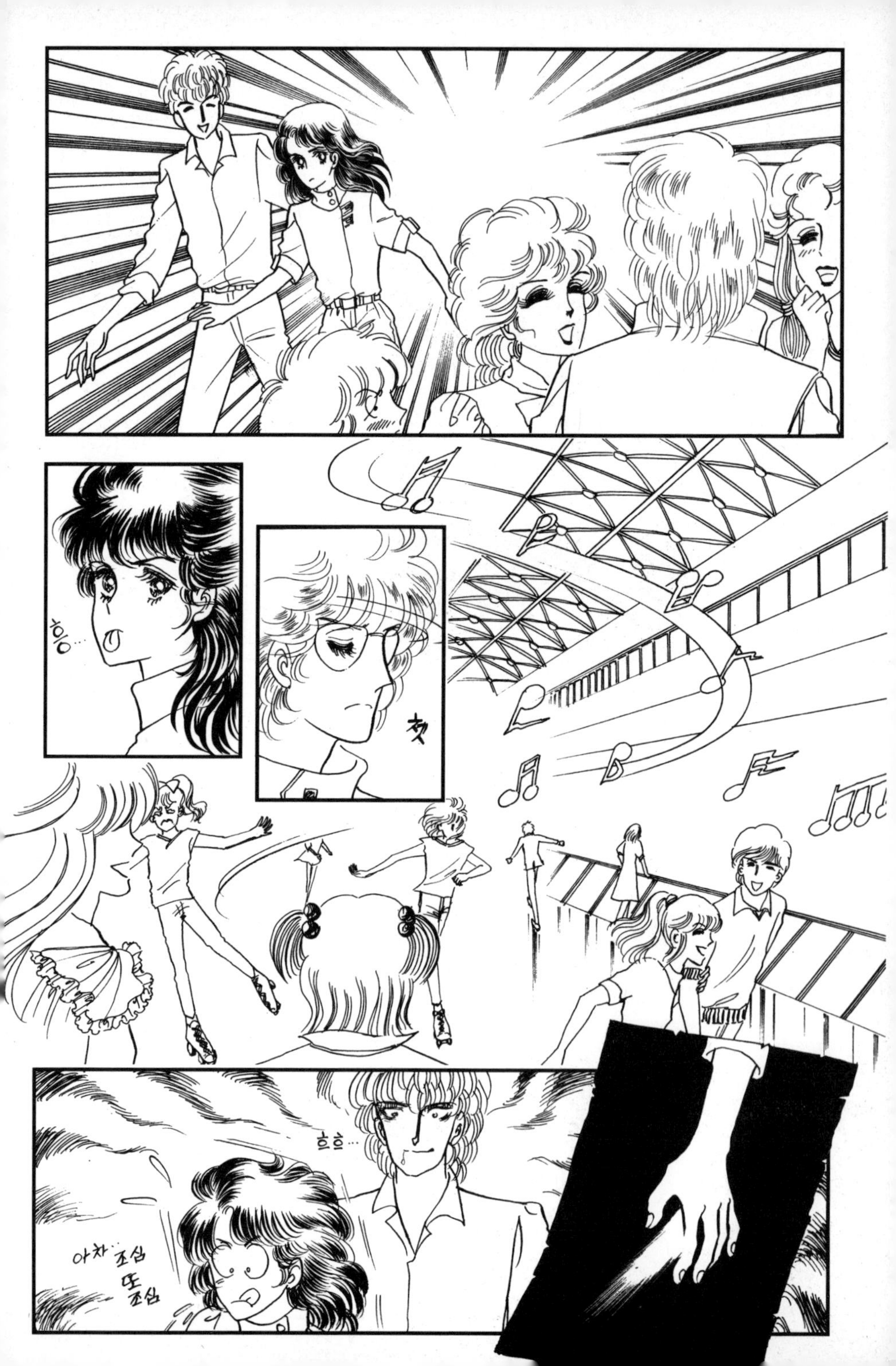
흥…
칫
흐흐…
아차.. 조심 또 조심

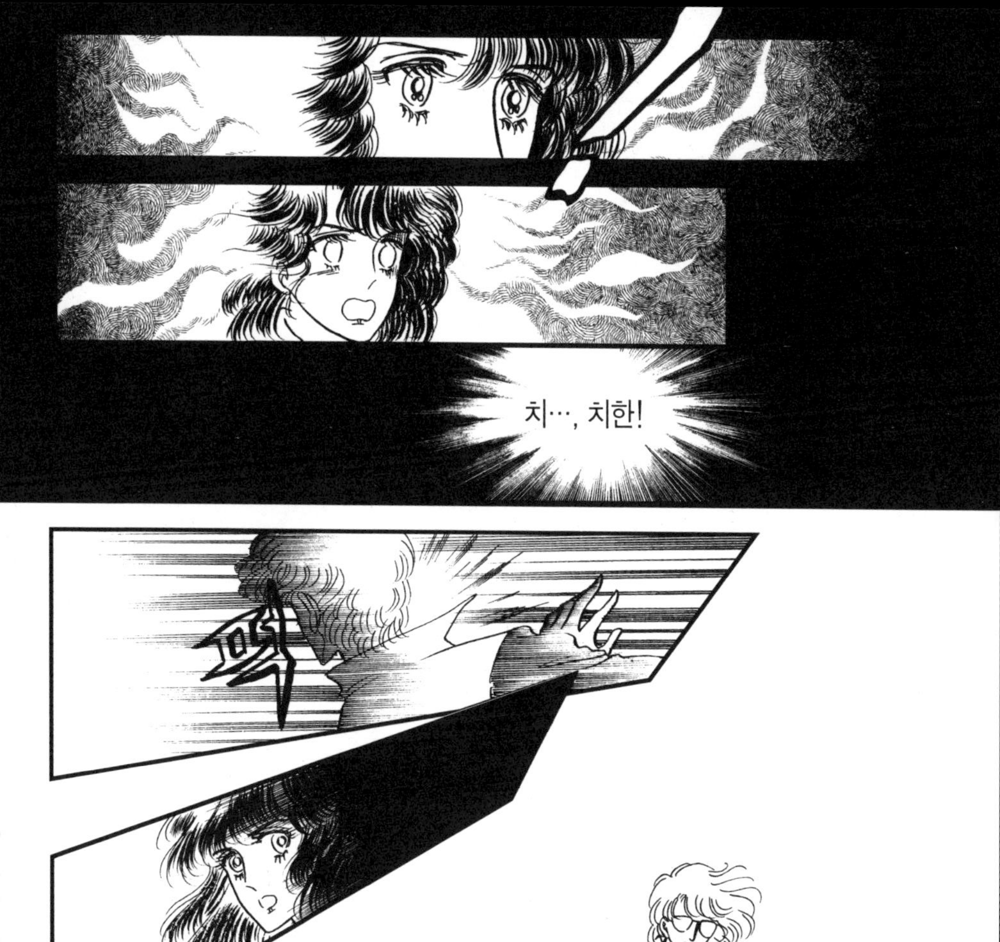
치…, 치한!

퍽

바보!
척 보면 몰라? 치한인지 아닌지.
성질나 죽겠는데 자꾸 신경 긁지 마.
처음부터 그런 델 가는 게 아니었는데….
…….
너 혹시 롤러 스케이트 못 타냐?
그래.

평소 모습을 보면
운동 신경도 좋을 것
같았는데….
그러지 못해서
미안하군.
…야.
…….
넌 왜 나를
그렇게 싫어하나?
바람둥이니까.

너, 무슨 근거로
그따위 헛소리를
하는 건데?
사실이잖아!
내가 없는 말 했니?

내가 왜
바람둥이냔 말이야!
내가 원한 게
아니야!
네 옆엔 언제나
여자애들이
득실대고 있잖아!
네가
유혹했으니까
그렇지!

씩
씩
헉헉

너하곤 말이
안 통하는 것
같다.
피차일반이야!
차라리 몽룡이랑
노는 게 낫겠다.

눈을 떠요.
어서요.
로미오….
오~,
로미오….
훌쩍…

좋은 사람….
혁진이는
정말 좋은 친구야.

그런데 이상하지.
이렇게 다른 누구와 있으면
더욱 종인 씨가 생각난다.

옆에 있는 사람이
종인 씨였으면 얼마나 더 기쁠지….

……그래서
…미안….

장미 양?
장미 양….
장미 양!
아…
아,
뭐라고 하셨죠?
무슨 생각을
그리 깊게 해요?
우리도 곧
3학년이 됩니다.
입시 전쟁에
끼어야 하는….
이런 한가한 휴식은
한동안 없겠죠.

대학
가실 거죠?
예—.
전공은
정했어요?
부모님은
의대를 권하시지만
전 교직이 좋아요.
특수 교육과를
졸업해서 장애인에게
도움이 되고 싶어요.
많이
어렵겠지만….

…혹시…
누군가를
좋아해본 적 있나요?

좋아…
해본 적….
MIRA'S LOVE
…지금부터 하는 말 부담 갖지 말고 들어주세요.
전…
고등학교 입학실날 한 여학생을 만났어요.
주백화점
신입생 대표로 입학 선서를 하던 아름다운 소녀였죠.
공부 잘하고 성격까지 좋은…, 한마디로 꿈에서나 있을 법한 그런….

그 여학생은 곧
전교생의 선망의
대상이 되었고,
저 역시 그 중의
한 명이었는데
정말 운 좋게도
첫 미팅으로 그 소녀를
마주하게 되었어요.
…그리고 어느 날 문득
내가 생각보다 더 많이
좋아하고 있다는 걸 깨달았어요.
…조종인이
누군가요?
미안해요.
우연히 연습장을 봤는데
무척 많이 적혀 있더군요.
종인… 조종인…이라고.

2살 위의…
친구라고도
아니라고도
할 수 없는 그런….
…좋아하는
걸까요?
그냥 언제나 생각나고
같이 있기만 해도
즐겁고 두근거리고….
좋아하는 건가요?
좋아하는 거
맞네, 뭐.
어렴풋이
느끼고 있었어요.
나는 절대 친구 이상은
못 되겠구나… 하고.
하지만 고백한 걸
후회하진 않아요.
거짓 없는 나의 오랜
마음이니까요.

거절당해도 괜찮다고
각오했으니 염려 마세요.
장미 양과 친해질 수 있었던
지금까지의 교제에
얼마든지 감사하니까요.
자, 그럼—.
내일부터는 다시
좋은 친구로서….

미안해요….

형님이
실연당했다.
이 슬픔을 아우와
함께 나누기 위해….
짜아식~.
안 궁금해?
어떤 사연인지?
안 봐도 뻔하지.
넌 사랑에는 너무
구식으로 나가더라.

우리의 청춘을
위하여 건배─!
하
하
하
건배─!
응? 슬비 아냐.
웬일이야?
아까 일
엄마께 말씀드렸더니
고맙다고 하시더라.
그리고 이거
전해주라셨어.

여자란 참 알 수 없어.
도와줘도 화내고
가만히 있어도 화내고…
물러나면 다가오고….

난…
일생을 걸고
한 사람만
사랑할 거야.
뭐?
나의 첫사랑이
나의 마지막 사랑이야.
하하….
뜻이야 좋지만
그게 쉽냐?

그러니까
노력하겠다 이거지.
내게 사랑과 결혼은
동일한 거야.
좋아! 좋아!
근데
그 행운의 상대는
어디에 숨어 있을까?
글쎄 말이다.
이제 나타날 때도
되었는데.

그러고 보면 10년이나
계속 그리고 있었어.
어떤 여자일까?
나의 여기사는….
그렇게 늘 내 연인을
꿈꾸고 있었지.

네 이상형은 어떤 여자야? 아마 까다롭겠지?
음…
1. 일편단심 나만을 사랑해주는 여자. 2. 일편단심 내가 사랑할 수 있는 여자. 3. 의지가 강한 여기사.
고작 그거야? 그래, 그런 여자애는 많을 테니 끈기 있게 찾아봐.
하 하 하
짹 짹

어후~.
속 쓰려 죽겠다.
나도 그래.
시원한
김치 국물이나
좀 줘.
우선
이 우유라도 마셔.
먹을 게 있나
찾아볼게.
…….
오랫동안 안 썼더니
거미가 집을 지었어.
푸

아니, 도대체 그동안 뭘 먹고 살았냐?
뭐, 빵이라든가 사발면, 짜장면, 등등…
가끔 진수성찬을 먹을 때도 있어.
진수성찬? 어떻게?
슬비 집에서.
대개 아침은 얻어 먹어.
오~. 그거 좋다.
빨리 빨리 가자~.
하…, 하지만 매일 어떻게…. 나도 양심이….
아하
슬비 양….
뭘 멍청히 서 있어?
빨리 들어오지 않고.

어머니는…?
출판사에 가셨어.
저…, 물 좀 마실 수 있을까?
냉장고 열어봐!
달그락~
달그락
이건 뭐지? 응? 총각김치네.
뭐?
어이—, 많이 먹으면 슬비가 화 낸다고.
오독 오독
까드득
빠직
허둥지둥
빨리
닫아
닫아
본다

저…, 혹시
도울 거라도
있는지….
그…,
그래.
양파와 감자 좀
깎아줘요.
좋아!
감자 깎는 건
자신 있다!
휘번득
휘번득
정의의 식도객,
내가 얼마나 집안일을 잘하는
효자인지 증명해주지.
보글
보글
보글
보글
됐어.
음~,
이젠 감자 조림
하고….
조용

아직 멀었어?
그래, 조금만 더 기다려줘.
매워
그거 깎는 데 시간이 얼마나 걸린다고.
이…, 이게… 감자….
원래 감자
그리고 이건 양파….
저…, 정말이지 너무들 하는군!
왜 그러지? 내가 너무 못 생기게 깎았나?
그래 넌 너무 울퉁불퉁 하더라 나처럼 좀 동그랗게 깎아야지
양파는 원래 동그랗잖아.
감자 깎는 건 뭐, 암석 깎기냐? 나처럼 숙련된 기술만 있으면 되는 거야.

아직 감자 2개가 남았는데….
안 돼! 그것마저 네가 깎으면 먹을 게 없어—!
양파는….
난 양파를 좋아하니까 그것도 맡길 수 없어!
믿었던 내가 바보지
어휴…
중얼 중얼
쓱
쓱…
1분만에—.
와아—
양파 같은 것은—
쓱
쓱…
단 30초만에.
우우…
톡
그리고 다시 1분 30초 만에—.
쓱
쓱
투 톡
와—
굉장하다
정말 대단해
짝
짝
짝
뭘~ 그까짓 걸 가지고….

슬비는
겉보기와는
다른 것 같아.
그래, 얼핏보면
우악스러워도
반전 매력이 있어.
나중에 딸 낳으면
슬비 같은 애로
교육시켜야지.
자—,
식사하세요.
푸
짐
아…
역시 하부는
하고
볼일이야.
싫어!
슬비는 너무
아프게 씻긴단
말이야,
몽룡이는
엄마가 좋아.
몽룡아, 이리 와.
목욕하자.

퐁당
퐁당
퐁당
퐁당
좀 가만히 있어봐. 싫다고 할 때는 언제고….
자—, 이렇게 돌려! 깨끗하게 씻겨줄게.
에치
지원아, 나… 아무래도 슬비가 좋아질 것 같은데?
풋

진짜 바람둥이가
내 옆에 있었군.
슬비는
안 돼!
뭐?
응?
너 혹시
슬비를…,
읍!
에
헤치…
아냐—!

말했지?
저렇게 바보같이
멋대로 생기고 엉망진창
사고방식을 가진 애는
딱 질색이라고!!
누가 아이스크림 귀신,
토마토 케찹, 불도저 같은
애를 좋아해?
슬비 같은 앤 총각김치
일곱 항아리를 준다고 해도
사절이다!

지, 지원아.
슬비….
응?

으아아악
쨍그랑
우당탕
쾅
휘이이잉
'참을 인(忍)' 자를 세 번만 생각하면 살인도 피할 수가 있다고 했다. 그러나….
참지 못할 때도 있을 수밖에 없는 이 쓰라린 인생역정….
지원아, 1권에서 충고했잖아. 사람은 언제 어디서나 말조심하고 윗사람을 공경하고 숙녀에게 예의를 지켜야 한다고.

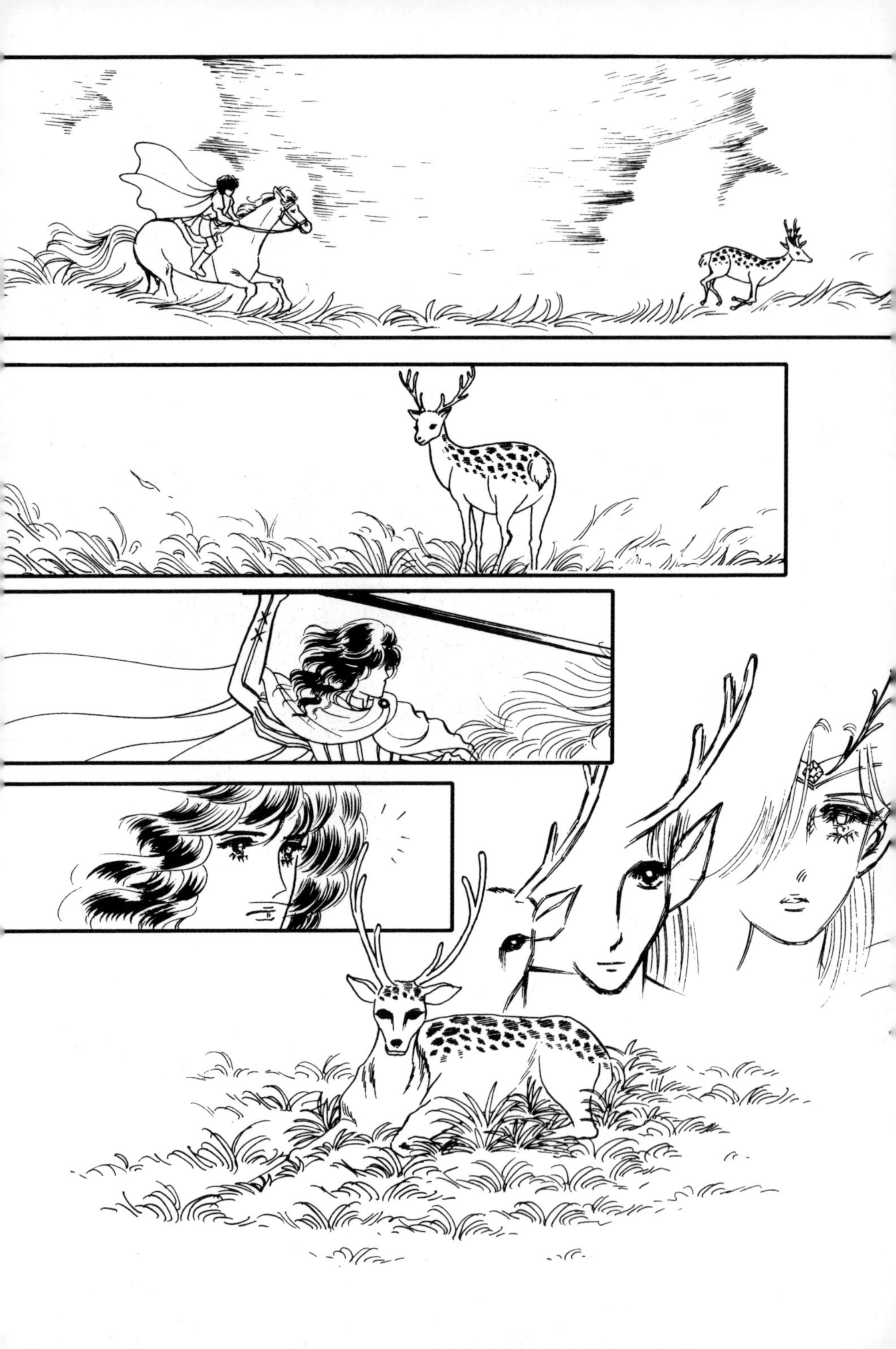

푸른눈 끝.
벗어날 수 없는
늪과도 같이…,
거미줄과도 같이….
누군가를 좋아한다는 건
저런 것일까?

누군가를 좋아한다는 것은
마음을 그리도 상하게 되는 것.
그러면서도 한없이 보고파지는 것.
하아…,
내가 어떻게 된 걸까?
그는 내 절반만큼의
관심도 주지 않는데…
내 머리에선 그 사람이
떠나지 않아.

그의 몸짓 하나하나가
이렇듯 내 몸을
감싸고 도는데….
…정말
모르겠다.
이런 마음을
뭐라고 부르지?
호기심?
사랑?
아니면…
스쳐 지나가는
부질없는 환상?

이사?
그래.
마침 교외에
아담한 집 하나가
나왔는데 살까 해.
엄만 아파트보다
마당 있는 집이 좋아.
글 쓰는 데도
좋을 것 같고 말이야.
근데
네 통학 때문에
좀 망설여지네.
그러니?
다행이다.
전 상관없어요.
우리 반 애들 중엔
멀리서 통학하는
애들도 많아요.

난 그곳에 가면 꽃이랑 나무를 많이 심고 싶어.
제가 아침마다 물을 줄게요.
아, 슬비야. 자전거 배우지 않을래? 통학하기도 좋을 거야. 이번 생일 선물로 자전거 사줄게.
그… 글쎄요. 뇌진탕으로 죽지 않는다는 보장만 있다면….

아…, 어쨌든 너무 근사하다.
나무와 꽃이 있는 낭만적인 집이라….
얼마나 멋질까?
아…, 언제나 소녀 같은 우리 엄마.

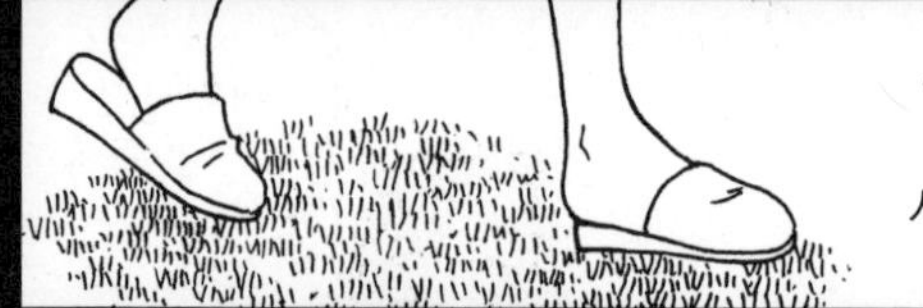

부모님이 안 계시니
제대로 챙겨주는
사람이나 있는지 몰라.

물론 이건 순전히 녀석이 불쌍해서 해주는 거야.
암—! 난 절대로 녀석을 좋아해서 해주는 건 아냐!

내일 2시에
전에 만났던 공원에서
기다릴게요.
나올 때까지….

대답은 못 들었지만
분명 종인이었어.

분명 나올 거야.
지금까지의 일로 봐서
날 그리 싫어하는 건 아닐 거야.
나에게
종이 비행기를
날려 보내고…
자판기에서 나에게
콜라를 빼준 일도….
그날
피크닉에서도
즐거워했었잖아….
…그래,
난 그의 마음속에
들어 있을지도 몰라.

툭

응?
또 비가 오기 시작하네?
아아…, 하지만 어디론가 외출하고 싶은 상쾌한 기분.
라라
아 참…!
파르르

아, 슬비 양,
아침부터 웬일로….
지원이 생일요?
음력 7월 1일인데
양력으로 8월 5일
무렵쯤 될 겁니다.
그리고 제 생일은
9월 8일입니다.
꼭 기억해주세요,
하하….
바다보다는 산이
더 좋지 않아요?
나중에 산에
가고 싶으면 연락해요.
언제든지 떠날 준비가
되어 있습니다.
좀 무더워지면
어머니께서
해수욕장에
데리고
가주신댔어요.
참, 지난번
아침 식사 잘 얻어먹고
인사도 못했군요.
근데 올 여름방학
계획은….

후후….
언제나 명랑하고
즐거운 사람이야.
7월 1일이라…?
외우기가 정말
쉬운걸?
정말 이상한 일이군.
남자라면 무조건
싫어하던 슬비가 차츰
적대감정을 풀다니.
인간들이 말하는
'사춘기'란 건가?
바삭..
좋아!
과감하게 돈을
털어서….
탈…탈…
앗 돈이다 돈.
저금통에서
500원—.
쨍그랑
책 속에 숨겨둔
한 달 용돈하고….
이렇게 모두
계산해보면….
…12,400원.
어? 100원이
모자라는데?

애,
너 손 펴봐.
팍
어서!
요게
인간도 아니면서
돈은 알아가지고.
콩
음….
12,500원.
어허어엉
쥐포 하나
사 먹으려 했는데
그깟 100원 때문에
막 때리고, 흑흑….
엄마, 저 잠깐
나갔다 올게요.
그래.
철벅
철벅

아…,
외출이란 정말
즐거운 거구나.
좋아.
그럴 수도
있지, 뭐.
아아니—! 남녀가
엄연히 구별이 있거늘
저래도 되는 거야?
남녀칠세부동석이란
선현들의 말씀을
뭘로 아는 거야?!
옛날의
솔비

망치나 톱을
하나 사줄까?
아님….
철벅
철벅
아ㅡ, 배고파!
밥 먹을 시간인데
선물 고르기가
이렇게 힘들다니….
참아야지,
뭐~.
애는 점심도
안 먹고 나가더니
여태 안 들어오고
뭘 하는 거지?
맛있다~,
한 그릇 더
주세요.

핫도그
1개만 주세요—.
아…
비가 점점 더
많이 내리네.
오물
오물
음…, 맛있군!
이게 야구방망이
만큼 크다면
얼마나 좋을까?
핫도그 명인
캐찹
CAFE
예?!
이게 2만 원이나
한다고요?!

요즘 TV도 안 봐요? 한창 유행하는 롤러 스케이트 타는 여우도 몰라요?
그럼, 이 악어 인형은?
15,000원.
제… 젠장! 모두 너무 비싸군.
그렇다고 옷 갈아 입히는 종이 인형을 사줄 수도 없고….
이건 어때요? 재고품인데 싸게 드릴게요. 귀엽잖아요.
우주미아

생각보다
멋진 걸
고른 것 같아.
그래요.
그걸로 주세요.
마음에 들어요.
라
라
라
퐁
당
퐁
당
MIRA
HYEAJA
MIRA
SUNHEE
HEAJA
SUNHEE

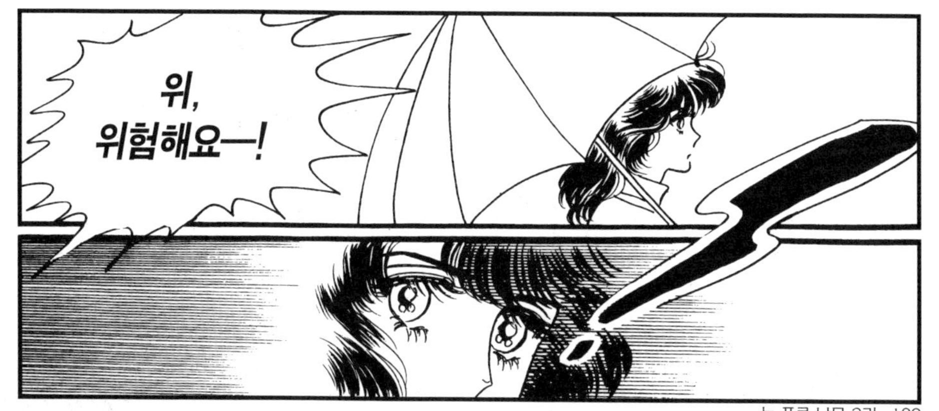
위,
위험해요—!

끼이

뭐지?
무슨 일이지?
웅성
웅성
비 오는 날은
그저 조심이
제일이야.
여자애가
자전거 앞에
뛰어들었나 봐.
괜찮아요?
야
아
아…
아…,
이, 이럴 수가….
저…,
옷이 모두 젖어서
어떡하죠…?

이것…
빨면 다시 깨끗해질까요?
예에…. 그럴 것 같네요.
그래, 옷도 빨면 깨끗해지니까.
철벅 철벅
빨리 가서 빨래 해야지.
아…, 저…, 잠깐…!

쏴아아아……
ㅈ ㅈ
에구 이래도 살아야 하나…
저건 뭐지

그는…
오지 않는다.
한 시간이
지났는데….

늦어서 미안해.
빗길에 사고가 나서
교통이 마비되었어.
…비가… 와서…
…비가 와서 다행이야.
눈물이 안 보이니까.

그대 떠나는 날에
비가 오는가.

하늘도 이별을 우는데
눈물이 흐르지 않네.

슬픔은 오늘 이야기 아니오.
두고 두고
긴 눈물이 내리리니…
잡은 손이 젖어가면
헤어지나….

그대 떠나는 날에
비가 오는가…
저물도록 긴 비가 오는가.

산울림 「그대·떠나는 날 비가 오는가」

그대 떠나는 날에
잎이 지는가.

과거는 내게로 돌아서
향기를 뿌리고 있네.

추억은 지난 이야기 아니오.
두고 두고
그 모습이 새로우니…
그때 부른 사랑 노랜
이별이었나….

그대 떠나는 날에
잎이 지는가…
처음부터 긴 이별이었네.

올 여름은 비가
유난히 잦은걸?
수재민이 많이
생기겠어.
나…,
종인 씨가
좋아요.

…아마…
장미가 잘못
생각하는 걸 거야.

그런 말 할 만큼
나를 모르잖아.
…많은 여자애들이
사랑에 대한 환상을 갖고
그것을 진짜 사랑이라고
믿어버린다더라.
장미도…
그런 걸 거야.
그렇지
않아요.
자꾸만 눈이 가고
자꾸만 마음이 가고
자꾸만 생각나서…
스스로도 왜 이럴까…
계속 생각했거든요.
그러다 인정했어요.

—사랑이라고!
상대에 대해
잘 알지 못해도
영혼이 교차하며
각인되는…
그런 사랑의 시작도
있는 거라고.
나는 그렇게
믿고 있어요.
…환상이 사라지면…
역겨운 진실을
맞닥뜨리게 될 뿐이야.

언제나 먼저…

등을 돌리는 건 저 사람.

왜 그렇게
슬픈 말을 해요?
왜…?

짹
짹…
아침 식사
하러 와.
치카
치카
응, 갈게—.
늘푸른나무

헤헤…
늘푸른나무

찰칵
안녕하세요?

생일 축하 합니다!
펑
와
와 아.
랄랄랄..

아….

자,
멍하게 서 있지 말고
이쪽으로 와요.
빨리
빨리
예…. 너무
뜻밖이라….
촛불을 꺼요.
내가 직접 만든
케이크예요.
슬비도 도왔고…
나도
도와줬다
훅
와
짝
짝
자,
생일 선물이야.
아―.
고마워, 슬비.
나도…
고마워,
몽룡아.

누가 우리 엄마를
못 보셨나요!

정말 고마워.

자ㅡ,
그럼 뜯읍시다!
와구 와구
쩝
쩝

음~. 랜턴하고 병따개…,
바람막이… 성냥…,
이것… 저것… 요것….
슬비….

딩 동
슬비니?
짜아식….
아, 왔냐.
산에 갈 준비는 다 됐겠지?
응, 너 오는 거 기다리고 있었어.
참! 저길 봐.

어때?
보면 볼수록
괜찮지?
그래, 예뻐.
아주 예뻐.
너 닮은 게.
안녕하세요?
장미 있죠?
슬비 왔구나.
그래, 걔 방에
들어가보렴.
들어가도 되니,
장미야?
아, 슬비.
어서 와!

뭐 하고 있었니?
아무것도 아냐.
그냥 편지 쓰고 있었어.
뭐? 그게 왜 아무것도 아니니? 편지 쓰는 게 얼마나 어려운 건데.
난 인사말만 써놓고 나면 말이 딱 막히더라.
똑 똑…
들어와요―.
고모께서 손님이 왔다길래….

어
오빠,
내 짝 슬비야.
슬비, 인사해.
내 외사촌 오빠
이석우야.
안녕하세요?
지난 번엔 실례가
많았습니다.
예?
저…
기억 안 나요?
비 오던 날
자전거에
부딪쳤는데….
아

뭐야?
그럼, 아무런 말도 없이 사라져 간 귀엽고 착한 소녀가 슬비였다는 거야?
뭔가 이상한 것 같아.
아 하 하
킥 킥
슬비라면 바로 멱살 잡고 일 벌여야 당연한 반응인데….
…….
너희는 개학이 얼마 안 남았지?
헤~, 어쩐 일이야?
예, 그래서 장미랑 숙제하러 왔어요.
꼭 개학 2, 3일 전에나 설치던 애가 아직 일주일이나 남았는데?
나 이제부터 공부 열심히 하기로 결심했어.
그래서 엄마를 기쁘게 해드릴 거야.
호~, 그래?
그 눈은 뭐야? '작심삼일'이라고 비꼬려는 거지?
아냐! 이번엔 전과 달리 정말 진지해 보여.

빨리 와, 인마.
쌀 씻는 게 뭐 어렵다고 시간을 그만큼 잡아먹냐?
참, 혁진아. 네가 내 생일 가르쳐줬어?
응.
슬비가 묻더라. 언제냐고.

저…, 혁진아.
슬비 말이야…, 나를 좋아할까?
글쎄…. 나중에 슬쩍 물어볼게.
너…,
장미에게 고백할 때 안 떨렸냐?

그,
그게….
왜?
슬비같이 멍청하고
엉망진창 사고방식을
가진 애는 싫다면서?
처음엔
싫었는데…
시간이 가면 갈수록
그 애가 좋아져.
그 애를 보면
언제나 즐겁고
마음이 편해지곤
해서….
가끔 불안할
때도
있었지만…
지금 그대로가
좋은 거야….

아~, 장미 양은
지금 뭘 하고 있을까?
보기 싫은 저 녀석 대신
그녀가 내 앞에 있다면
이 아름다운 자연과
얼마나 잘 어울릴까.
오빠, 슬비
잘 바래다줘야 해.
알았어!
고작
두 정거장인데
뭘~!
자전거는
타 본적이
없는데…
됐니?
예에….

선희의
전성시대
원작: 안혜랑

과연 어떤 답장이 올까?
몹시 망설여지는걸.
내가 괜한 짓을
하는 건 아닌지.
하지만…
이대로는 싫어.
정말….

너, 너무 빨리
달리지 말아요.
떨어질 것 같아.
으아악
괜찮아!
꼭 잡고만
있으면 돼!
자전거 배우기…
어렵지 않나요?
글쎄~.
난 어려서부터
탔기 때문에
별 어려움을
모르는데….
……
왜?
배우고 싶어?
좀….
나중에 이사 가면 엄마가
자전거 사주신댔거든요.
통학할 때 타고 다니라고.
다 왔어요!
저 아파트 앞에
세워주세요.

예, 그럴게요.
고마워요.
고마워요, 오빠.
이렇게 데려다
주셔서….
괜찮다면
다음 일요일
오전 10시에
여기 나올래?
자전거 타는 걸
가르쳐주고
싶은데….
그럼-.

어? 슬비.

지원아!

며칠째
안 보인다 했더니
등산 갔었구나.
어느 산에
갔었니?
으응~.
설악산.

피곤하겠다.
어서 들어가자.
그, 그래.

참, 배고프겠다.
씻고 식사하러 와.
빨리.
으응….
찰칵
풀썩
아…, 피곤해.

후훗…, 그래.
혁진이 말대로
이게 좋은 건지도 몰라.
옆에 있으면서
얘기도 하고
같이 식사도
하고….
슬비,
나는 너랑 같이
바다로 가고 싶어.
그리고 뉴욕에 있는
아버지께도 가고 싶어.
슬비와 지원이 호
엄-머 지원이 아니야~

쾅
쾅
지원아!
지원아!
무슨 일이니, 슬비?
콰당
큰일났어, 지원아!
엄마가 쓰러져 있어! 흔들어 깨워도 일어나지 않아!

엄마…,
엄마….
이제부터
공부도
열심히 하고
말썽도
안 피우려고
했는데….
너무 걱정 마,
슬비.
괜찮으실 거야.
흑
흑
훌쩍

선생님….
심한 과로였어요.
며칠 푹 쉬면 괜찮으니 너무 걱정 말아요.
놀라게 해서 미안하구나.
흑… 흑…
으응…. 정말 놀랐어요.
그, 글쎄…, 청소하다가 바퀴벌레를 보았지 뭐겠니? 그게 내 옷 속에 들어가는 바람에 놀라서 그만….
정말 나쁜 벌레군요. 제가 있었더라면 아예 박살을 내버렸을 텐데….

이젠 괜찮으니 그만 집으로 가자꾸나.
엄마, 안 돼요.
영양제도 좀 맞고….
따님 말이 맞습니다, 아주머니.
인간의 몸도 기본적으론 소모품입니다.
특히 중년 이후론 회복력이 크게 떨어지니 쉴 땐 제대로 쉬어줘야 병을 막을 수 있어요.
예, 엄마 그렇게 해요! 집안일은 제가 할게요! 저 잘할 수 있어요.
그래…, 그럼 그럴게.
엄마, 집에 가서 필요한 것들 좀 챙겨올게요.

서원병원
정말 다행이야.
생각해보면…
엄마란 얼마나
소중한 존재인가.
앞으로는 정말
착한 아이가 되어야지.
그래서 엄마를
기쁘게 해드릴 거야.

배고프지 않아?
쪼르르르
그…
그러고 보니
고프군.
먹고 싶은 것
주문해,
슬비.
에…, 우선
김밥하고…
우동,
순대,
또… 쫄면.
이것, 저것,
요것—.
투랄라이 분식
투랄라이
엄마는 언제나
건강하시다고
생각했는데….
너도 건강 검진
한번 받아 보지?
혹, 불치의 병을
앓고 있을지도
모르잖아?

나도 참….
엄마가 입원해 있는데 먹기만 하다니….
두근
그러고 보니 지원이는 힘도 센 것 같아. 엄마를 업고 마구 달렸으니까 말이야.
알고 보면 좋은 애야.
왜? 더 안 먹어?
응, 저…, 그냥.
정말 안 먹어?
그래!

너무 걱정 마.
내가 다
먹어줄 테니….
와구
와구
아깝다.
얼마 후 엄마는
퇴원했고,
방학도 끝났다.

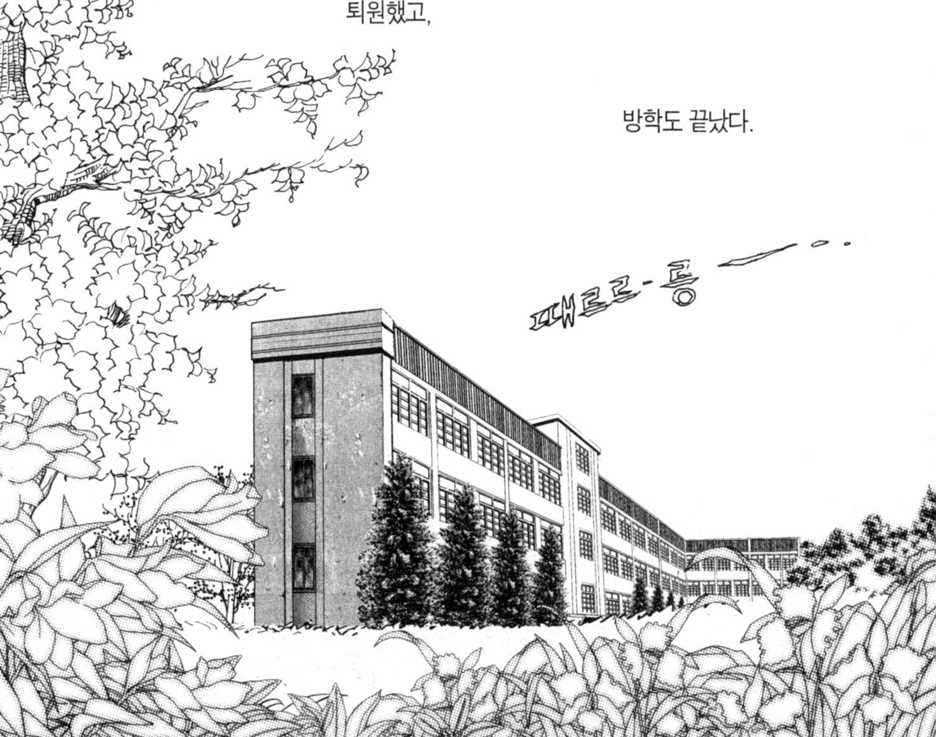
때르르-릉

가을이
오고 있는데….

아니나 다를까,
슬비였어.

어어~,
손까지 막 잡고….

우와—.
정말 다정한
모습인걸?

야, 언제부터
슬비가 저러냐?
넌 그동안
잠 잤어?
난 신경 안 써!
흠…, 그래?
뭐… 뭐야?
아무것도
아냐!
난 이만
갈게—.
영문 테이프
고마워.
일주일 후에
갖다줄게.
응, 잘 가—.

훗~!
슬비와 지원이라….
어쩐지 전혀
어울릴 것 같지
않으면서도
어울린단 말이야.
매일 아웅다웅 하길래
원수지간인 줄
알았더니….

꽉 잡고 있는 거죠?
응!
절대 넘어지지 않으니 염려 마!
배워야지.
그래서 엄마 대신 시장도 다녀오고 그럴 거야.
잡고 있는 거죠?
응—.
스르르…
잡고 있는….

꽈
당
캑 · ·
사람의
심리란
참 이상하군
아 후~

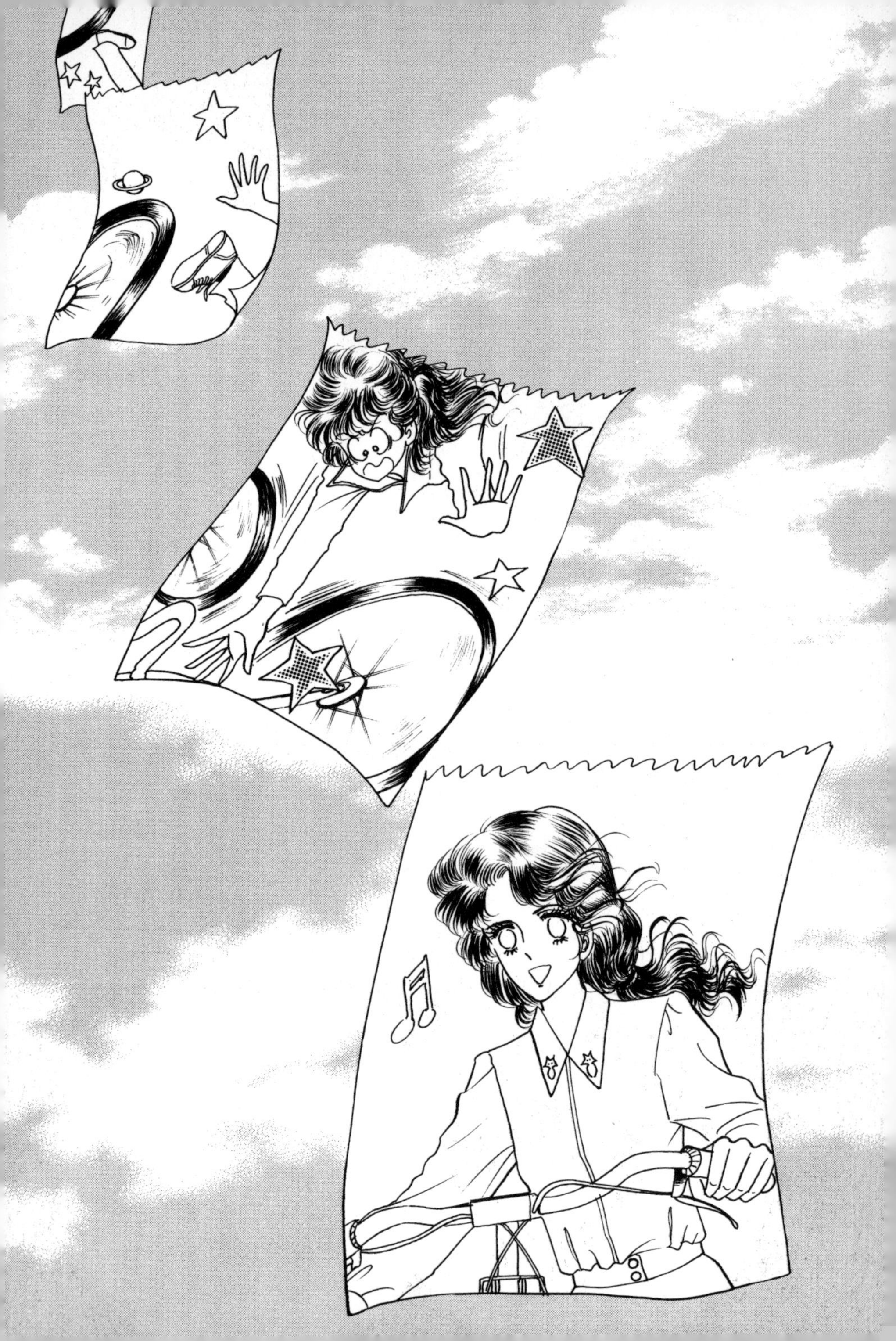

와
아ー...
엄마!
어때?
마음에 드니?
네가 고생하면서
자전거 연습하는 걸 보고
이번 고료로 샀단다.
생일 선물을
미리 받는 거라고
생각하렴.
엄마!
정말 고마워요!
전 감동했어요!
흑
흑
잉 잉
나도 자전거 사줘잉
만날 슬비만
예뻐하고 ... 잉

뚜우우
뚜우우우…
뚜우우우…
뚜우우우
뚜우우

왜 소식이 없지…?
전화도 받지 않고….

편지는 받은 걸까?

아아…,
아무것도 알 수 없다니
정말 답답하구나.

어, 슬비!
흥~.
자전거를
아예 한 대
구했군그래.
오빠!
흥 오빠?
오빠라고?
언제부터
그런 사이가 됐지?

쳇!
좋다고
놀아라
놀아
와아!
너무
신기한 거 있죠.
내가 자전거를
타게 되다니.
하하….
언제 시간 내서
하이킹 한번
같이 갈까?
와아─!
하이킹요?
장미랑도
같이 가면
좋겠어요.
그래!

혁진이도
같이요.
하하
그러지….
그리고
지원이하고도….
…….
오늘 점심은
김밥이네요.
운동하느라
배고팠을 텐데
어서 먹으렴.
잘 먹겠습니다!

음 정말
맛있군
그래

지원이에게도
좀 갖다주면
안 될까요?
글쎄….
일요일이라
방송국에
갔을 텐데….

참 안됐다!
이렇게 맛있는 것도
못 먹다니….
ABC
아~,
배고파!
지원 선배님.

바로 집으로 가시는 거에요?
아님….
식사하러 가는 길이야.
어머, 잘 됐네요! 저도 배가 고팠는데….
우리, 아름나라에 가서 식사해요. 요 앞에 새로 생긴 레스토랑인데 맛있고 깨끗하대요.
…….
좋아, 가자!
잠깐!
응?
마침 나도 배고프니까 함께 가주겠어.

쳇! 지금쯤 신나게 놀고 있겠지
아니―, 요건 어디든지 끼려고 그래!
콩
아얏!
선배님, 같이 가요!
따르릉 따르릉
비켜 나세요
자전거가 나갑니다 따르르릉
저기 가는 저 사람 조심하세요
우물쭈물 하다간 큰일납니다.
지나가는 개와 고양이는 조심하세요

아이구
아이구 아파
슬비, 아무래도 포기 하는 게 낫겠다.
아이고 꼬리야
아직 절반도 못 왔잖아.
안 돼!
'여아일언중천금' 이라고 했어! 난 한 번 한다면 하는 성격이야!
주인, 아무래도 무리인 것 같아. 여우 목숨도 소중하다는 걸 알아줘.
걱정 마! 내가 있는데 설마 죽기야 하겠어?
비틀
바둥 바둥

아… 아이고~
정말 힘들구나. 그렇다고 자전거를 버리고 갈 수도 없고….

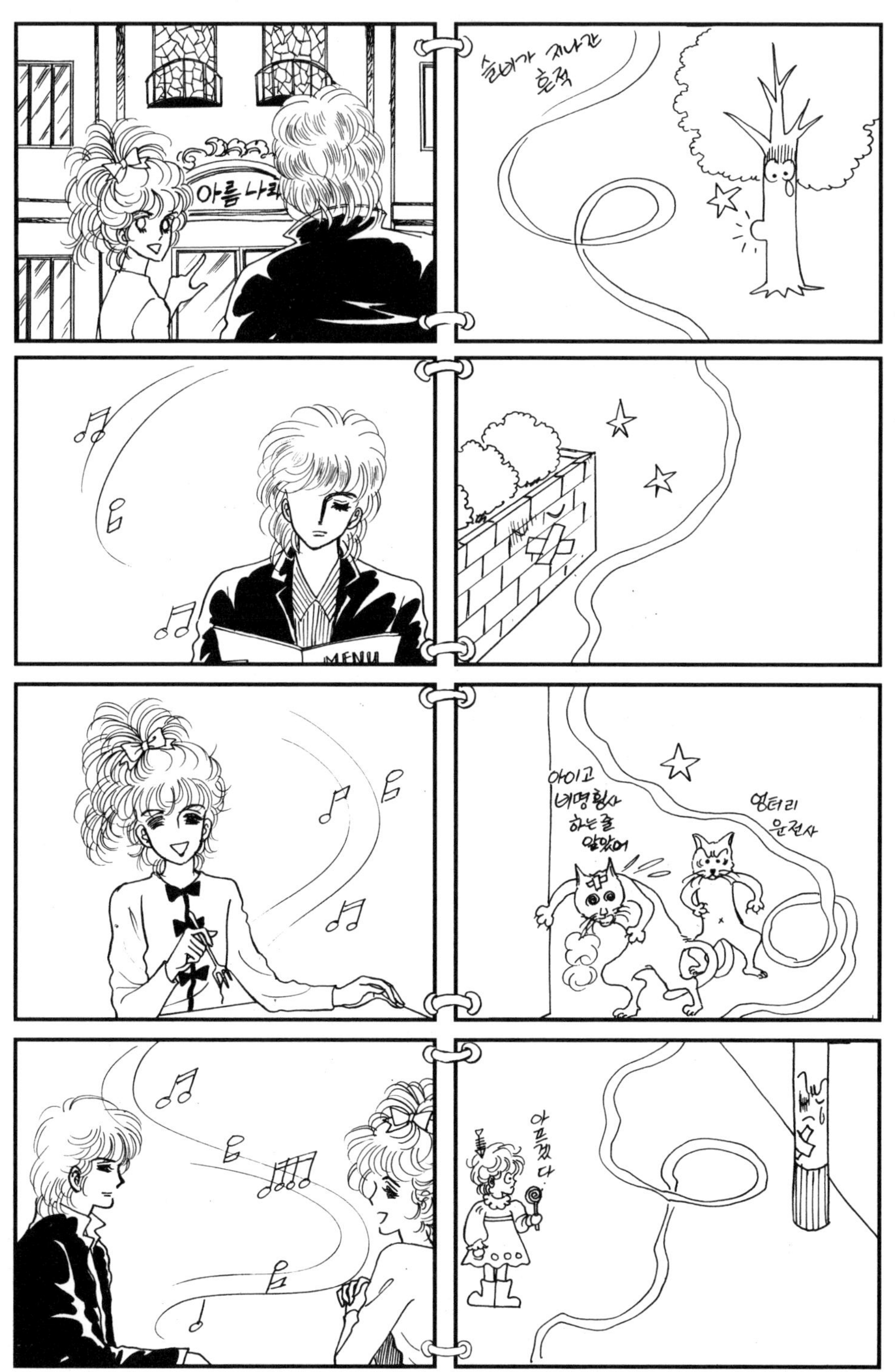
아름나라
솔비가 지나간 흔적
MENU
아이고 비명횡사 하는 줄 알았어
엉터리 운전사
아프겠다.

헥 헥
조금만..
조금만 더...
주인아 여기가 어디냐 어디냐 황천이냐 연옥이냐

와앗
저긴
아름나라
방송국이다!
ABC
감격
아아...

우리는 드디어
성공한 거야!
와앙
흑흑
그래,
우리 둘 다
에베레스트산
정복자 만큼이나
위대해,

어?
순이 씨
아니에요?
난 지금 심히
불쾌한 일을 당해서
사인해주고 싶은
기분이 아니오.
저…, 혹,
서지원 어디 있는지
몰라요?
서지원?
아—,
그러고 보니
안면이 있는
낭자군.
아하….
꼭 전해줄 게
있어서….
흠,
그래요?
짜아악…
아하..

지원 군의
여자 친구요?
뚜벅
뚜벅…
아…, 뭐~
여자 친구라기보다는
그냥 이웃에 사는…
뭐… 그런….
뚜벅!
뚜벅

아아니—,
사람이 물으면
확실히 대답해야지
뭐가 그렇게
우유부단한
거요?!
?
죄송합니다.

지원 군을
남자 친구로
삼아요.
뚜벅!
뚜벅!
예?
뚜벅!
뚜벅!

하라면
하는 거지
웬 잔소리요!
!
…….

와
아
마롱 나라..
PUB RESTAURANT
…….
여기 들어가봐요.
난 이만 갈 테니.
슬비 낭자,
버릇없는 영희를
제치고 꼭 지원 군과
사귀기 바라.
저 애들이
무얼 알겠어.
많이 아는 내가
가르쳐줘야지.
어,
슬비 아냐?

지원이 너
이런 데서도
식사하고 그래?
물론이지!
너희랑은 격이
다르니까.
흥!
아침부터 오빠니 뭐니 하며
재미있게 놀았겠지.

영희,
오늘 나랑
영화 보러 갈까?
와—!
좋아요,
선배님!
이 촌스런 계집애야!
넌 집에 가서
발 닦고 잠이나 자!

야—, 서지원! 너 정말 그럴 수가 있어?!
난 너에게 도시락을 전해주기 위해 죽을 고비를 넘기며 왔는데 넌 저런 데서 밥이나 먹고 너무하잖아!

그래!
그래!
우리가 뭘 하든지 네가 왜 간섭이니?
내가 어디서 뭘 먹든 너하곤 관계없는 일이야.

굶어죽든 말든 이젠 신경 안 쓸 거야!
그래, 이 나쁜 놈아!

흥! 정말 웃기는 애야.

꿀꺽…
젠장….
선배님,
저런 애 상대 말고
빨리 영화보러 가요.
비틀
비틀
선배님―!
앙
내가
앞에 탈 테니
넌 뒤에 타.
어서!
뭐,
뭐야?

슬비와 질적으로 다르다 똑같은 자전거로 이렇게 시원하게 달릴수 있다니

그 애…
혼자 놔두고
와도 돼?
…….

미안해,
나쁜 놈이라고
욕해서….
아냐!
나야말로
미안해.

내가 바람둥이 같아서 싫다는 것 사실이니?
아니ㅡ.
넌 바람둥이 아닌 것 같아.
끼익
그럼, 왜 날 그렇게 싫어하니?
어, 언제?
전에 내 포스터 보고 못생겼다고 박박 찢은 것도 그렇고….
그건….
미안해.
언젠가 사과하려고 생각하고 있었어.
아니, 그런 것 따지려는 것보다….
네가 날 진짜 싫어하는 줄 알았어.
또 나보고 못생겼다고 그러기에 진짜 그런가 싶고….

아니야.
넌 TV로 볼 때도
가슴이 두근거릴
정도로 멋졌어!
절대 못생긴 건
아냐!
저,
정말…?
그래
지원이 총각은
잘 생겼어

맛 있다

이사 간다고요?!
교외에
아담한 집을
구해놓았어.
아…, 예.
이사를 간다….
슬비가
이사를 가버린다.
비틀
그게 그렇게
충격적인가.
너무
불쌍해 보인다
그지?
응
응!
아무리 급해도
화장실만큼은
너의 집 걸
사용하도록 해.
탁
……!

예 술 제
왁자지껄
웅성
웅성
슬비—,
아! 지원아, 혁진아.
장미는?
학생회장이라 바쁜가 봐.
MIRA

내일 이사 간다면서?
응.
좋아, 자원봉사하지. 이삿짐은 내게 맡겨.
너희들 이제 좋겠다. 이젠 고양이처럼 아웅다웅 서로 싸울 필요 없잖아.
하 하 하
이슬비, 밖에 안 나갈래? 구경할 게 많아.
그래, 난 여기 있을 테니 같이 가.
하 하…
아… 난 왜 늘 조연밖에 못 될까?
저…, 말씀 좀 묻겠는데요.

어? 슬비,
저길 좀 봐.
구름이 꼭
요트같이 생겼다,
그치?
와아—,
정말 신기한데?
저건 또 몽룡이
닮았잖아.
저건 먹다만
아이스크림
같고….
아하하
…내가 너무
주책없이 웃었나?
물끄러미~
뚝

아무래도
그런것
같아…
와
앗
시끌
시끌
앗—,
미녀 학생회장.
안녕하세요?
예,
수고가 많네요.
아하…,
뭘….

드르륵
저ㅡ.

걔…
조종인 말이야.
죽었다더라.
며칠 전 학교로
연락이 왔었어.
우리 반에서도
다들 전학간 걸로만
알고 있었는데 휴학하고
요양 중이었다고….
알고 보니 그 녀석
뇌종양이었어.

—뭐?

사격을
그만둔 이유도
그거래.
…반 아이들
모두 무관심했던 걸
후회하고 있어.
뭐라는… 거지?
아,
저기 있네요.
장미 양,
여기 손님이….
내가 무슨 말을
들은 거지?
…장미?

죽었어!
…그런….
죽었어….
그런 일이….
뭔가 잘못된 거야!
그래!
그럴 리가 없어!

학생이
백장미 양이군요.
…난…
종인이 누나예요.
진작에 학생을
만나러 왔어야 했는데
경황이 없어서….

저…,
이거….
그 애가 남긴 거예요. 장미 양에게 전해달라고….
난 그 애의 부탁을 들어주기 위해서….
…종인이의…
그 애의… 마지막 부탁을 들어주기 위해서….
그… 그 앤…,
지난 19일에….
…그….
그만―!

종인 씨 죽었다고
그러지 말아요!
죽었다고
그러지
말아요!
종인 씨 죽었다고
그러지 말아요ㅡ!

다들 잠만
자고 있었어요.
멍청하게도
잠만 자고
있었다고요.
새벽이었어요.
모두들 잠들어서
곁에 아무도 없을 때
혼자서…
그렇게도 외로이….

…….
그러고선…
재로 날려 보냈어….

이런….
…이런 일도
……
있는 거야?
종인…?
모르겠어….
…넌… 누구지?
네 얼굴이
기억나지 않아.

제발
다시 한번
널 볼 수 있게
해줘….
넌 누구였니?
너에 대해서
아는 게 아무것도 없어.
…아팠던 것도…,
그 어떤 것도
넌 알려주지 않았어.
한발 다가설 때마다
한 발씩 뒷걸음 치던
너였는데….
왜 이렇게 가슴이
무너지는 거야.
장미는 오늘도
못 보겠다.
아무리
바빠도 그렇지,
너무한걸?
으음….
그러고 보니
혁진이도
안 보이는데?
그 진

아냐.
장미가 바쁘게 움직이니까
이런 성공적인 예술제가
가능한 거야.
그런 의미에서
장미를 한 번 더
존경해야지.
아,
가장행렬이 시작돼.
잡귀 반상회

찌르르르릉!!
이사를 하고…
곧 11월이 왔다.

자,
지난 시험 성적표
돌려주겠어요.
1…12.
15…24.
이슬비!
예, 옛!
정말 놀랍구나!
이번에 성적이
30등이나 올랐어.
성적표
봐, 열심히 하면
된다고 했잖아.
헤
헤
와ㅡ, 부럽다.
이선자 선생님이
머리까지 쓰다듬어
주시다니….
수근
수근
슬비를
미워하는 줄
알았는데 그게
아니었나 봐.
엄마가 아프신 후로
열심히 했더니
진짜로 올라갔네….
공부란 하면
되는 거구나.
그래, 이제부터
더 열심히 해서
전교 1등이 되는 거야.
그럼, 장미가
날 얼마나 존경할까?

그래,
저 나무였어.
맨 처음 종인이를
만난 곳….
그리고 저 담장….

아….

장미…,
나를 정말 좋아한다고 했지?
이 편지를 몇 번이나 되새겨 보면서
나는 행복에 잠겼단다.

네 말처럼
진실은 살아 있을지도
모른다는 생각이
드는구나.

이제 나는 종이 비행기가 되려고 해.
그리고 하늘 높이 날 거야.

너는 날 따라오지 못하겠지.
날 다시 보지도 못하겠지.
나는 아무도 찾아올 수 없는 곳으로
가버릴 테니까.

하지만 너의 마음을
조금만 가지고 가고 싶다.

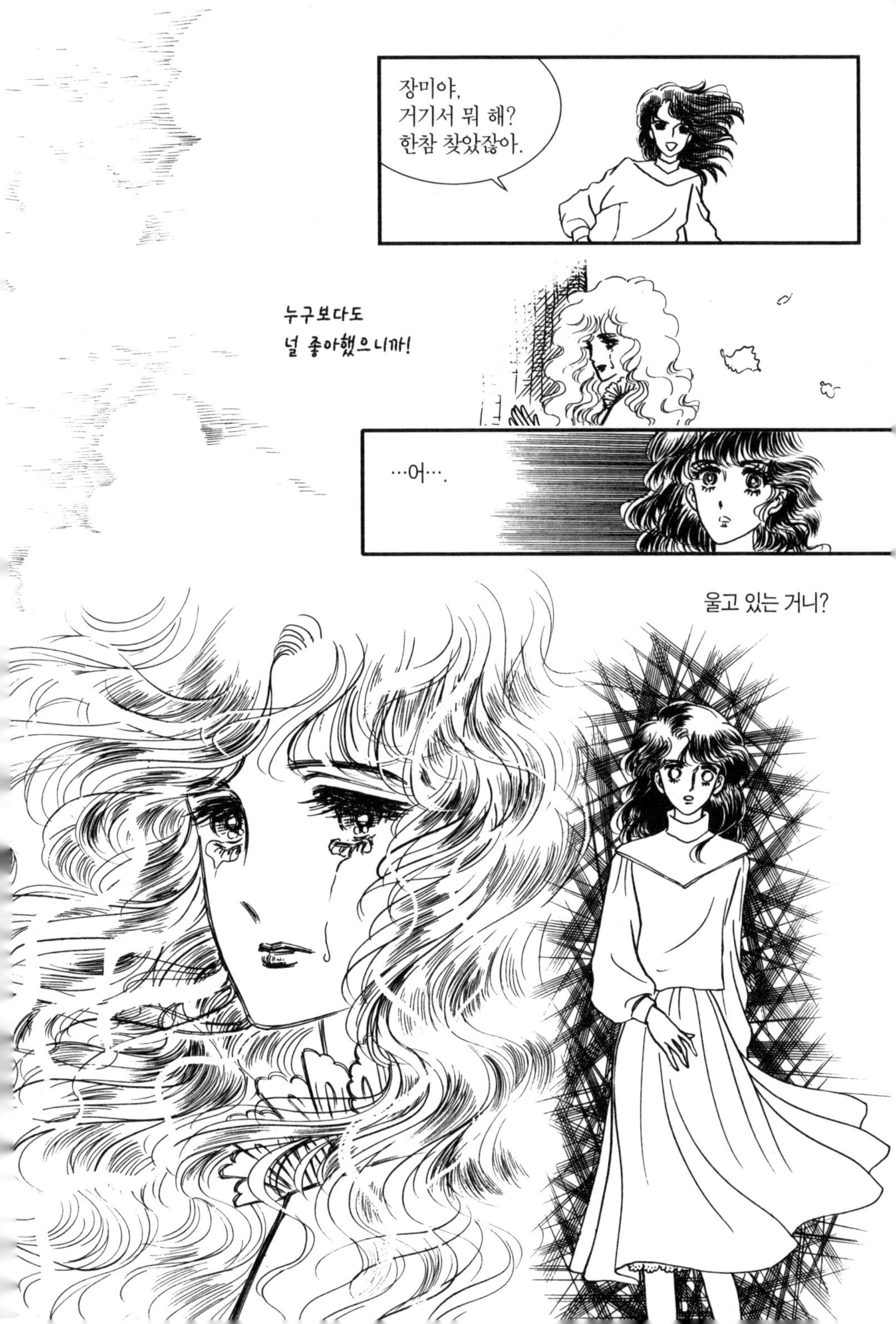
장미야,
거기서 뭐 해?
한참 찾았잖아.
누구보다도
널 좋아했으니까!
…어….
울고 있는 거니?

…아니야.
…눈에 티가
들어갔나 봐.
……얘기해줄게.
슬비야.
하지만 나중에….
지금은… 자꾸
눈물이 나와서….

유리야,
어서 나와.

슬비…,
네가 떠난 이 아파트는
스산한 가을빛으로 가득 차 있다.

물론 가야지!
저, 근데 슬비, 오늘 우리 집에 공부하러 오지 않을래?
공부란 원래 같이 하면 능률도 더 오르고….
그렇긴 하지만 오늘 약속이 있는데….
석우 오빠 만나기로 했거든.
좀 늦어도 괜찮다면 갈게.
하하…, 물론이지. 늦어도 괜찮고 말고.
석우라고?
흥! 자전거 같은 건 내가 훨~씬 더 잘 가르쳐줄 수 있는데.
니이야…

넌 누구니?
으응~,
난 새로 이사온
몽룡이라고 해.
넌?
난 춘향이야.
우리 앞으로
친하게 지내자.
아아니―,
저 녀석은
누구지?
변학도
탈탈
타닥
딩동~
딩동~
헤헤….
늦어서 미안해,
지원아.
아니야!
좀 걱정이 되긴
했지만….
어서 들어와.
응―.

그렇게
재미있었니?
뜨끔
어…,
어떻게 알았어?
미안해, 지원.
그냥 오려고 했지만
새로 나온 만화가 너무
재미있어서 말야.
아니,
그것 말고
자전거 말이야.
아―,
석우 오빠 말이구나.
선물만 전해주고
곧바로 왔어.
여지껏 자전거
가르쳐준 데 대한
인사로….
그…,
그랬어?

생일 축하 합니다
생일 축하 합니다
슬비의 생일을
축하 합니다…
축하해, 슬비.
축하해요.
나도….
이건 내가 직접 만든 거야.
난 생일상을 차렸으니까 선물 안 해도 되겠지.

아…, 다들 고마워.
정말 고마워.
저,
슬비 어머니.
응?
하숙생 한 명만
두십시오!
그 하숙생은
성실하고 책임감 있는
저를 추천합니다!

부탁드립니다.
두근! 두근!
……..
좋아요.
그렇지 않아도
지원 군 아버님과의
약속도 있고 해서
신경이 쓰였는데.
하지만 각오해요!
엄하게 할 테니까.
가…,
감사합니다!
와아아 만세
언제부터…

머지않아
3학년이야.
힘든 한 해가
될 거야,
그치?
응.
슬비, 이 편지
아까 선물하고
같이 주려고 했는데
쑥스러워서….
나중에 읽어봐.
?

슬비.
난 네가 좋아
내 요트의 여왕님은
오직 너뿐이야
지원….
어제 밤새
궁리하다 쓴 편지
으음~.
시험 공부보다
더 어려운 게
연애편지군.
끙
끙
바보….
나도…
너뿐이야.
같이 가-,
지원!

참! 지원아, 나도 내 꿈을 하나 만들기로 했어. 현모양처.
어때? 멋있다고 생각지 않니? 생각해보니 그게 가장 가능성 있는 일이지 뭐니.
『늘 푸른 나무』 완결

와~
월척이다!

원 술랑은
내 배역이야.
쳇.
네가 원술랑이면
난 선덕여왕이다.
오랑우탄 같이
생긴 녀석아.
그래.
싸워라 싸워
애들은
싸우면서
크는거
아니겠니?
아...
정말이지 무게잡는
역할은 힘들어...

짧은 이야기
슬비랑 지원이랑 1.
10!
자, 10을 셀 동안 말해!
슬비
지원
아휴~
9!
저…, 난 아직까지 그런 말은 단 한 번도 해본 적이 없어.
그런 걸 어떻게 말하라는 거야. 좀 봐주라, 응?
8!
내 성격 잘 알잖아. 도량이 넓은 네가 이해해주라. 이렇게 빌게, 응?

그럼 네가 먼저 말해. 난 따라할게. 넌 그런 말 잘하잖아.
그래!
7!

6!
딱
아얏! 사람을 왜 때려! 말로 하면 되잖아!

5!
넌 왜 만날 나만 못살게 굴고 그러니.
잉 잉

빨리 말 안 해?! 또 맞고 싶어? 4!
하면 되잖아. 넌 왜 말보다 발이 먼저 올라가.
퍽
아야야

3! 2!
핫! 갑자기 왜 빨리 세고 그래?
왓!

1!
와앗
말할께
말하면 되잖아!
Stop

사랑해
사랑한다고…
하아
하아

김남조님의 시를 응용했다우
살고 싶지 않아 내가 꼭 이짓을 해야 하나 난 주인공이고 싶어이잉
앙
앙

슬비랑 ○○○..
<악몽>
쓰레기통
잉잉~.
만날 때리고
나만 시키고
잉잉~.

지원이랑....
2.
<깨몽>
저어…, 그러니까 내가 널 좋아한단 말이야.
Z Z Z
대답이 없는 걸 보니 너도 그렇다는 거지? 고마워.